D0415539

El odio a Occidente

PENÍNSULA

Jean Ziegler

El odio a Occidente

La memoria herida de los pueblos del Sur

Traducción de Jordi Terré

ediciones península

Título original: *La haine de L'Occident*

Primera edición: septiembre de 2010
Primera edición en este formato: noviembre de 2017

Ediciones Península,
Avda. Diagonal 662-664
08034 Barcelona
edicionespeninsula@planeta.es
www.edicionespeninsula.com

LIMPERGRAF · impresión
DEPÓSITO LEGAL: B. 23.484-2017
ISBN: 978-84-9942-650-1

Este libro está dedicado a la memoria de

Jaime Vargas,
L'Abbé Pierre,
Franco Bettoli y
Andreas Malacorda.

ÍNDICE

TERCERA PARTE
LA ESQUIZOFRENIA DE OCCIDENTE

CUARTA PARTE
NIGERIA: LA FÁBRICA DEL ODIO

QUINTA PARTE
BOLIVIA: LA RUPTURA

AGRADECIMIENTOS

De tanto amar y andar salen los libros
y si no tienen besos o regiones
y si no tienen hombre a manos llenas,
si no tienen mujer en cada gota,
hambre, deseo, cólera, caminos,
no sirven para escudo ni campana:
están sin ojos y no podrán abrirlos,
tendrán la boca muerta del precepto.

PABLO NERUDA,
Memorial de la Isla Negra.

En los altiplanos andinos de Bolivia, las comunidades aymara y quechua me acogieron calurosamente y con generosidad. En el delta del Níger, en la sierra de Chocotán en Guatemala, en las sabanas de Malí, en las tierras bajas de Etiopía, en el corazón de los bosques de Madhya Pradesh, en las costas de Orissa a orillas del golfo de Bengala, y también en Nueva York, en Gaza-City, en La Paz, en Caracas, en Jerusalén, en Bayamo en el Oriente cubano, en Madrid, en El Cairo, en Lima, en Nueva Delhi, en Selenge, en Peshawar y en muchos otros lugares del planeta, mujeres y hombres de condiciones, estatus sociales, culturas, religiones y opiniones políticas diferentes me hablaron con la mayor franqueza, contestaron a mis preguntas y compartieron conmigo sus saberes, sus angustias y sus esperanzas.

Mi libro se ha nutrido en abundancia de todos esos encuentros.

Como siempre, con una atención crítica rigurosa, un talento de editor impresionante y una amistad sin tacha, Olivier Bétourné fue el asiduo acompañante en cada etapa de elaboración de este libro. Con una gran exigencia analítica y teórica, Erica Deuber-Ziegler releyó todas y cada una de las líneas que escribí. Dominique Ziegler releyó también las pruebas. Les debo gran cantidad de ideas, intuiciones e hipótesis fecundas.

El diálogo con mis colaboradores próximos, Christophe Golay, Sally-Ann Way y Claire Mahon, su erudición y sus recursos documentales, fueron indispensables para mí. Ingrid Bucher también me aportó su ayuda.

Arlette Sallin se hizo cargo de las versiones sucesivas del texto con una minuciosa competencia. También me vi favorecido por los juiciosos consejos y el amistoso apoyo de Sabine Ibach, de Mary Kling y de Gloria Guiterrez.

Manuel Fernández-Cuesta me sugirió la redacción de un nuevo prefacio. Y supervisó con una amistosa e indesmayable atención la elaboración de la edición española. Sus consejos y su amistad han sido preciosos para mí.

Jordi Terré realizó una traducción de una excepcional calidad, que refleja cada matiz de mi pensamiento y domina de forma admirable una eventualidad narrativa de gran complejidad.

Mi reconocimiento para todas y todos, más allá de lo que las palabras pueden expresar.

PREFACIO

El día era frío. Un sol tímido atravesaba las nubes. Pennsylvania Avenue estaba abarrotada de gente. Ante la fachada occidental del Capitolio, se había levantado un estrado decorado con los colores de la bandera estadounidense.

Un hombre esbelto de cuarenta y ocho años, con la tez morena y la mirada clara, vestido con un abrigo azul oscuro, se colocó en el centro del estrado.

El presidente de la Corte Suprema leyó la fórmula del juramento.

Barack Obama la repitió.

A su lado, estaban su mujer Michelle y sus dos hijas pequeñas, Sasha y Malia.

El bisabuelo de Michelle se llamaba Dolphus Shields. Había nacido esclavo en una plantación de algodón de Carolina del Sur, en 1859.[1]

Entre la inmensa muchedumbre que se apretujaba delante del Capitolio y a lo largo de toda la Pennsylvania Avenue, había mucha gente con lágrimas en los ojos. Era el martes 20 de enero de 2009.

Desde la primera publicación de este libro en septiembre de 2008, la elección de Barack Obama como el 44° presidente de Estados Unidos ha constituido el acontecimiento sin duda más sorprendente que ha sucedido en nuestro planeta. Fruto, ante todo, del desvelo y la movilización de la memoria herida de decenas de millones de descendientes de africanos deportados y de personas procedentes de otras minorías, esta victoria provocó en el mundo entero, pero sobre todo en el hemisferio sur, una viva esperanza.

Esperanza en la actualidad desvanecida.

Los agentes de los servicios de seguridad estadounidenses siguen torturando a sus prisioneros en la mayor prisión militar del mundo, en Bagram, Afganistán. No han dejado de estar vigentes las «Comisiones militares» y se niega a los detenidos, «combatientes hostiles» o simples sospechosos, la aplicación de las Convenciones de Ginebra.

La abogada neoyorquina Tina Forster, que se ocupa en Bagram, por cuenta de la International Justice Network, de tres detenidos —dos yemenitas y un tunecino—, confirma: «No existe ninguna diferencia entre las administraciones Obama y Bush».[2]

Obama está llevando a cabo dos guerras simultáneas... ¡y recibe el Premio Nobel de la Paz!

En el gueto de Gaza, donde se amontona en 365 km² un millón y medio de palestinos, la desnutrición y las epidemias causan estragos. El bloqueo israelí priva a los hospitales de medicamentos. Tras las matanzas y los bombardeos israelíes de enero de 2009, no es posible llevar a cabo ninguna reconstrucción. El castigo colectivo infligido a la población civil sitiada impide la llegada de materiales de construcción. En la Cisjordania y el Jerusalén Este ocupados, el robo de tierras, de agua y de casas palestinas continúa su marcha sin impedimentos.

Comisionado por las Naciones Unidas, el juez surafricano Richard Goldstone investigó durante seis meses la agresión israelí contra el gueto de Gaza de enero de 2009: un total de mil cuatrocientos muertos palestinos y más de seis mil mutilados y abrasados entre los cuales se encontraban numerosas mujeres y niños. Y llegó a la conclusión de que se trataba de crímenes de guerra cometidos por el gobierno israelí (pero también por el gobierno de Hamás). Solicitó el traslado de los culpables a la Corte Penal Internacional. En el Consejo de

Seguridad y en el Consejo de los Derechos Humanos de las Naciones Unidas, Estados Unidos rebatió vigorosamente las conclusiones del informe Goldstone.[3]

Entre los aliados estratégicos de Estados Unidos, siguen figurando algunos de los Estados —Uzbekistán, Arabia Saudí, Israel, Nigeria, Colombia, Kuwait— que, en la lista de Amnistía Internacional, están registrados como los peores violadores de los derechos humanos.[4]

El *Washington Post* escribe: «El punto débil de Obama son los derechos humanos».[5]

¿A qué se debe este fracaso?

Barack Obama sufre de lleno la ley del imperio. A pesar de su población relativamente reducida —trescientos millones de personas—, Estados Unidos sigue siendo todavía en la actualidad, y con diferencia, la nación industrial más creativa, más competitiva y más dinámica del mundo. En 2009, las empresas estadounidenses produjeron alrededor del 25 por 100 de todos los bienes industriales producidos en un año en el planeta.

La principal materia prima de esta gigantesca máquina industrial es el petróleo: Estados Unidos utiliza alrededor de veinte millones de barriles al día. Pero, entre Alaska y Texas, no llega a producir ocho millones de barriles diarios. El 61 por 100, es decir, algo más de doce millones de barriles al día, tiene que importarlo del extranjero. Y para colmo, de tierras extranjeras generalmente hostiles y en las que los conflictos hacen estragos: Oriente Medio, Asia central, el delta del Níger.

¿Cuál es la consecuencia de todo esto? Que Estados Unidos debe mantener unas fuerzas armadas extraordinariamente numerosas y costosas.

En 2008, por primera vez en la historia, los gastos en armamento de los Estados miembros de la ONU superaron el billón de dólares anual. Estados Unidos gastó el 41 por 100 del total (China, segunda potencia militar mundial, el 11 por 100).

El mismo imperativo petrolero —y militar— obliga así al gobierno de Washington a establecer a través del mundo alianzas estratégicas con algunos de los Estados más despreciativos del mundo con respecto a los derechos de los pueblos que controlan.

Ésta es la paradoja con la que nos enfrentamos.

Tras la elección para la presidencia de Estados Unidos de un afroamericano, el odio de los pueblos del Sur hacia Occidente ha aumentado aún más.

Régis Debray escribe: «Hoy más que nunca, la memoria es revolucionaria».[6] El segundo fenómeno más importante observado desde la primera edición de este libro es la rápida progresión y consolidación de la revolución india de los Andes.

En las interminables y áridas cordilleras, en el fondo de los valles y en las frondosas selvas de las tierras bajas de la Amazonia, la memoria herida de los pueblos indios está viviendo un fulgurante renacimiento. Esta memoria se transforma en conciencia política, voluntad de insurrección, fuerza de resistencia e indómito movimiento social.

Mayo de 2009: los indios de la Amazonia peruana se rebelan. El gobierno de Lima acababa de conceder a las sociedades petroleras occidentales los derechos de exploración que amenazaban con arruinar las tierras y los cursos de agua de las comunidades autóctonas. Bajo la dirección de la AIDESEP (Asociación Interétnica de Desarrollo de la Selva Peruana), las comunidades organizaron la resistencia, y bloquearon las carreteras y los ríos de la región. Presionado por las compañías extranjeras, el presidente Alan García decretó el estado de excepción.

La represión se desató sobre las comunidades indígenas. Los asesinatos de indios se sucedieron. Durante la matanza de Bagua, el ejército abatió, a quemarropa, a treinta y cuatro manifestantes, entre los cuales se encontraban mujeres y niños. Pero la resistencia no cejó.

El miércoles 17 de junio de 2009, Alan García compareció ante el Congreso, en Lima, para solicitar la anulación de los decretos que preveían la expropiación de las tierras amazónicas.

En Bolivia, la revolución silenciosa iniciada con la recepción en el Palacio Quemado de Evo Morales Ayma, primer presidente indio elegido en América del Sur a lo largo de 500 años, se desenvuelve de un modo tormentoso.

Los contratos negociados con más de doscientas sociedades petroleras, gaseras y mineras extranjeras, al transformarlas en simples sociedades de servicios, reportan al Estado boliviano, año tras año, unos ingresos de decenas de miles de millones de dólares. Evo Morales utiliza este maná para transformar radicalmente la situación material de las clases más pobres. Lentamente, el pueblo boliviano va saliendo de su miseria secular. Desde 2009, cualquier persona con más de sesenta años, sin ingresos, recibe doscientos bolivianos al mes.[7]

El bono madre-niño es otra reforma general instaurada a partir de 2009. Otorga el derecho a un control médico gratuito durante todo el embarazo. El bebé se beneficia del mismo servicio. Durante todo el periodo de embarazo y hasta que el bebé cumple la edad de dos años, la madre percibe doscientos bolivianos al mes. Otro bono se propone mantener la escolarización de los hijos de las familias más pobres. Al concluir su quinto año escolar, el niño recibe una prima de doscientos bolivianos, o sea, de aproximadamente treinta dólares. Tal suma podría parecernos ridículamente baja, pero hay que tener en cuenta que con frecuencia las familias tienen entre seis y ocho hijos.

También se producen avances en la lucha contra el trabajo esclavizado. En el Alto Parapeti, provincia de Santa Cruz, los agentes del INCRA descubrieron, en 2009, diez latifundios pertenecientes a cinco familias y que abarcaban en conjunto una superficie de 36.000 hectáreas. Varios cientos de familias guaraníes se encontraban retenidas allí a la fuerza, obligadas a trabajar sin salario ni compensación de ningún tipo. Las tierras que albergaban a estos esclavos fueron entonces expropiadas. El 14 de marzo de 2009, Evo Morales se trasladó en persona al Alto Parapeti para devolver a los Ancianos de las comunidades guaraníes sus títulos de propiedad.

Pero el enemigo no depone las armas. Periódicamente, se producen matanzas de campesinos. Leopoldo Fernández, gobernador en 2009 de la provincia de Pando, en el Oriente amazónico vecino a Brasil, es cómplice y amigo de los grandes terratenientes de la región. Sus policías y sus milicias privadas persiguen a los agentes del INCRA,[8] a los agrónomos procedentes de La Paz y a los cartógrafos encargados de preparar la reforma agraria. Como protesta, miles de campesinos sin tierra, acompañados por mujeres y niños, organizaron una marcha en dirección a la capital provincial. A la altura del pueblo de Catchuela-Esperanza, los pistoleros de Fernández les tendieron una emboscada. Diecisiete manifestantes, entre los cuales había mujeres y niños, fueron fusilados a quemarropa. Más de seiscientos resultaron heridos. Y hubo decenas de desaparecidos. Algunos supervivientes relataron el hecho de que algunos de los agresores no hablaban español, sino que se expresaban en una lengua «desconocida».

En abril de 2009, se reunió en Trinidad y Tobago, Estado caribeño de la costa de Venezuela, la Quinta Cumbre de las Américas, cumbre de jefes de Estado americanos.

Barack Obama se encontró allí por primera vez con Evo Morales. Su conversación fue breve.

Durante este tiempo, la campaña de sabotaje llevada a cabo contra el gobierno legítimo de Bolivia por parte de la oligarquía de Santa Cruz y sus mercenarios croatas, bajo la dirección de agentes de los servicios secretos estadounidenses, proseguía con una extrema violencia.

Dos días después del apretón de manos de Trinidad, las unidades especiales de la policía boliviana cercaron en Santa Cruz el hotel Las Américas.

En el cuarto piso del establecimiento, cinco veteranos de las guerras de los Balcanes de origen croata y húngaro habían establecido un almacén de armas y explosivos. El asalto se produjo a las cinco de la madrugada.

Según las notas encontradas en el lugar, los mercenarios habían previsto asesinar a Evo Morales, al vicepresidente García Linera y a cuatro de los principales ministros del gobierno. Durante el ataque, murieron tres mercenarios y dos fueron hechos prisioneros.

Las maquinaciones para cometer asesinatos y sabotajes no son los únicos peligros que acechan a la revolución silenciosa de Bolivia. El árbol de la nueva Bolivia que, lentamente, va emergiendo de la tierra exhibe un follaje endeble y tiene ramas podridas. Un ejemplo: Santos Ramírez, cofundador del MAS (Movimiento al Socialismo) que llevó a Morales al poder. Era el tercer hombre más poderoso del Estado, tras Evo Morales y García Linera. Antiguo abogado de los sindicatos campesinos, se convirtió en el director general del YPFB,[9] la sociedad petrolera nacional. La policía lo arrestó en su domicilio en febrero de 2009.

Encontró en su casa 450.000 dólares en metálico, un «regalo» —según el juez de instrucción— de la empresa estadounidense Castler Uniservice. Ésta recibió del YPFB el contrato de construcción de una fábrica de licuefacción del gas natural.

Evo Morales expulsó a Ramírez y lo reemplazó por Carlos Villegas... ¡sexto director general del YPFB desde la entrada en funciones del presidente!

Pero ni las intrigas internacionales, ni la difamación de la prensa europea, ni los sabotajes han conseguido hasta ahora aplastar el extraordinario movimiento identitario indio, la construcción del Estado nacional y la revolución silenciosa dirigida por el MAS. La nueva Constitución fue adoptada de un modo democrático. En diciembre de 2009, Evo Morales Ayma acaba de ser reelegido triunfalmente presidente de la República.

La tercera circunstancia novedosa que se ha producido tras la primera edición de este libro fue que, en otoño de 2008, un tsunami financiero barrió el planeta: los predadores del capital financiero globalizado, mediante sus dementes especulaciones y su codicia obsesiva, destruyeron en pocos meses billones de valores patrimoniales.

Alphonse Allais escribió: «Cuando los ricos adelgazan, los pobres se mueren». El salvajismo bancario crea millones de parados en Occidente. Pero, en los países del Sur, mata. Según el Banco Mundial, tras el estallido de la crisis bursátil, varios cientos de millones de personas más fueron arrojados al abismo de la extrema pobreza y el hambre.

El 22 de octubre de 2008, se reunieron en el palacio del Elíseo, en París, los dieciséis jefes de Estado y de gobierno de los países que comparten el euro. Estaban presentes, especialmente, José Luis Rodríguez Zapatero, Angela Merkel y Nicolas Sarkozy. ¿Qué decisión tomaron? Los Estados de la zona euro iban a liberar un billón setecientos mil millones de euros para reactivar el crédito interbancario y aumentar del 3 al 5 por 100 el nivel de autofinanciación de sus bancos.

En los dos meses que siguieron a la reunión de París, los países industrializados redujeron masivamente sus pagos a las agencias internacionales de ayuda humanitaria y los créditos destinados a los países más pobres.

Encargado de la ayuda alimentaria de urgencia, el PMA (Programa Mundial de Alimentos de las Naciones Unidas) posee un presupuesto normal de seis mil millones de dólares. En 2008, tenía a su cargo a setenta y un millones de personas, víctimas de guerra, de catástrofes naturales y de migraciones forzadas. En la actualidad, los fondos de que dispone no son más que cuatro mil millones de dólares. En algunos meses, el PMA perdió así más de un tercio de sus medios. ¿Con qué resultados?

En Bangladesh, el PMA tuvo que anular las comidas escolares de un millón de niños desnutridos. Actualmente, en los campos de refugiados en suelo keniano, trescientos mil somalíes reciben tan sólo una ración diaria de 1.500 calorías. La Organización Mundial de la Salud fija el mínimo vital en 2.200 calorías por adulto y día. En tales campos, sobre los que ondea la bandera azul y blanca, la propia ONU se encarga de organizar la subalimentación de seres humanos a los que conduce a la agonía y la muerte.

¿Dónde reside nuestra esperanza?

En la construcción, por parte de los pueblos del Sur, de naciones soberanas, pluriétnicas, democráticas, dueñas de las riquezas de sus subsuelos y de sus tierras, que vivan bajo el imperio del derecho y sean capaces de negociar en el futuro de igual a igual con las potencias occidentales.

En 1799, Simón Bolívar, con dieciséis años, llegaba por primera vez a París. El espectáculo de los cambios revolucionarios alimentaba su aborrecimiento del despotismo español en las Américas. Las ideas de Robespierre y Saint-Just estimularon asimismo a otros jóvenes que, pronto, iban a dirigir los ejércitos liberadores a través de los Andes.

Antonio José Sucre, José San Martín, Bernardo O'Higgins y otros muchos insurrectos extrajeron su inspiración de los escritos y las luchas de los revolucionarios franceses.

Pero en la actualidad la luz ya no viene de Europa.

Maurice Duverger ha previsto la decadencia de las naciones europeas. Dotadas de un modo de producción de un dinamismo y una fuerza creadora admirables, pero sometidas a la voluntad de conquista de sus clases dirigentes y a su obsesión por el beneficio financiero inmediato, dejaron morir la Ilustración que les había dado vida.

Los Estados occidentales practican lo que Duverger llama el fascismo exterior.[10] En el interior de su territorio, constituyen auténticas democracias. Pero los valores democráticos que forjan el fundamento de sus Constituciones se detienen en sus fronteras.

Frente a los pueblos del Sur, practican la ley de la jungla, la ley del más fuerte, y el aplastamiento de aquel que les planta resistencia.

La obsesión patológica por el beneficio de sus respectivas oligarquías guía sus políticas exteriores.

Insensible a los sufrimientos de los pueblos del Sur, a sus memorias heridas, a sus reivindicaciones de excusas y reparación, Occidente permanece ciego y sordo, empeñado en su etnocentrismo.

En Europa, la voluntad de justicia y la esperanza de una aventura colectiva portadora de sentido están aquejadas de anemia. El veneno del individualismo hedonista, destilado con esmero por los amos del capital financiero mundializado, produce su efecto. La palabra misma de revuelta provoca sarcasmo. El cáncer capitalista carcome a Occidente.

En el umbral de este nuevo milenio, la esperanza nos llega de las selvas amazónicas de Ecuador y de Perú, de los altiplanos de Bolivia, de los Llanos de Venezuela y, en menor medida, de las megalópolis de Brasil.

Abonado a varios periódicos revolucionarios, y especialmente —a partir de julio de 1789— a *L'Ami du Peuple*, Immanuel Kant seguía desde Königsberg los acontecimientos de París. Contrariamente a sus colegas, Johann Wolfgang Goethe y Friedrich Schiller —no obstante reputados «poetas de la libertad»—, comprendió intuitiva, profundamente, esta «ruptura de los tiempos», su grandeza y su significación universal. Con sus amigos del albergue Zum Ewigen Frieden ('Sobre la paz perpetua'), comentaba cotidianamente y con pasión las contradicciones, convulsiones e iluminaciones de la revolución en curso.

Poco después del Terror y la desaparición de Saint-Just y Robespierre, Kant escribió en 1798: «Un fenómeno semejante nunca será olvidado en la historia del mundo, porque ha descubierto en el fondo de la naturaleza humana una posibilidad de progreso moral que ningún hombre había sospechado hasta ese momento. Aun cuando no se alcanzara la meta perseguida [...] estas primeras horas de libertad no pierden un ápice de su valor. Porque este acontecimiento es tan inmenso, está tan entreverado con los intereses de la humanidad y tiene una influencia tan excesiva en todas las partes del mundo como para que los pueblos, en circunstancias diferentes, no puedan acordarse de él y no se vean llevados a reiniciar su experiencia».[11]

En manos de los occidentales, aquejados por un trágico desfallecimiento, la antorcha de la Revolución se ha apagado. Actualmente, la rebelión del hombre al que se le ha negado su dignidad ruge en los Llanos, en el corazón de los Andes. Son los pueblos de América del Sur y del Caribe los que vuelven a encender la llama. Quizá pronto ésta abarque el mundo entero.

El gran movimiento de la emancipación del hombre, de la humanización gradual de la historia, avanza rápidamente en todo el hemisferio sur, especialmente entre los pueblos musulmanes, indios y criollos.

Son los pueblos del hemisferio sur, y particularmente de América Latina, los que vuelven a comenzar esa experiencia inolvidable, que Kant describió con una elocuencia tan precisa y tan certera.

Pero, en el corazón mismo de este extraordinario renacimiento identitario, del deseo de vivir juntos —en la igualdad, la libertad y la fraternidad— que constituye el fundamento de toda construcción nacional, existe un peligro mortal, un veneno: la tentación permanente del repliegue tribal, el fanatismo identitario y la singularidad, que se transforman en rechazo del otro, en racismo y, en definitiva, en odio patológico.

Felipe Quispe, Ollanda Humala y los profetas de la «raza cobriza»[12] encarnan este peligro en los Andes; los salafistas y los talibanes, en el seno del universo musulmán.

Si Occidente persistiera en su ceguera, los profetas racistas y los fanáticos tribalistas acabarían consiguiendo la victoria. Destruirían el movimiento de emancipación y, con él, la esperanza de un triunfo sobre el actual orden caníbal del mundo.

Depende de nuestra solidaridad como occidentales con las nuevas naciones soberanas de América Latina y otros lugares del hemisferio sur, el que pueda llegar a ver la luz un mundo más vivible, más digno, consagrado a la equidad y a la razón.

JEAN ZIEGLER
Ginebra, mayo de 2010.

PRÓLOGO

Vivo en una herida sagrada
Vivo en ancestros imaginarios
Vivo en un querer oscuro
Vivo en un largo silencio
Vivo en una sed irremediable
Vivo en un viaje de mil años
Vivo en una guerra de trescientos años
[...].

AIMÉ CÉSAIRE,
«Calendario lagunar», *Moi, laminaire.*

Las tormentas de marzo se desataban sobre los árboles centenarios del camino entre Ermitage y Ginebra. Una fina capa de nieve húmeda cubría los rojos fulgores de los arbustos de magnolias, el rosa de los cerezos de Japón y las ramas de oro de las forsitias.

Se acercaba la medianoche y hacía un frío polar.

Caminaba al lado de una mujer elegante, vestida con un sari blanco y ocre, cubierto con un abrigo de lana.

Era Sarala Fernando, la embajadora de Sri Lanka en las Naciones Unidas, en Ginebra.

Salíamos de una cena de diplomáticos europeos, asiáticos y africanos organizada en la residencia del embajador de Irlanda, Paul Kavanagh. Durante toda la velada, habíamos debatido las medidas a tomar para atajar el espantoso genocidio emprendido desde enero de 2003 por el dictador de Sudán, el general Omar Bachir, en los macizos montañosos y las sabanas de Darfur.

Hombres, mujeres y niños masalit, fur y zaghawa caían a miles bajo los bombardeos de los aviones Antonov y las lanzadas de las milicias ecuestres árabes, los yanyauids. Como los jinetes del Apocalipsis, estos asesinos se arrojaban sobre los pueblos africanos, violando, mutilando y degollando a mujeres y jovencitas, arrojando a los niños vivos a las brasas de las casas en llamas, y degollando a los hombres, viejos y adolescentes.

Los yanyauids mataban por orden de los generales en el poder en Jartún, que a su vez estaban teleguiados por los «pensadores» del Frente Islámico de Salvación.

Era el martes 20 de marzo de 2007.

Cuatro días antes, en la sala XIV del Palacio de las Naciones de Ginebra, la presidenta de la comisión de investigación sobre Darfur, la Premio Nobel Jody Williams, había presentado su informe al Consejo de los Derechos Humanos de la ONU.

Comprobación incuestionable, basada en un gran acopio de pruebas: el genocidio había provocado desde hacía cuatro años más de doscientos mil muertos, centenares de miles de mutilados y cerca de un millón de personas refugiadas y desplazadas.

La cena, organizada por Paul Kavanagh y su esposa, tenía como finalidad preparar la redacción de una resolución de compromiso, que sería sometida durante la semana a los representantes de los cuarenta y siete Estados del Consejo.

En el plano internacional, desde 2007, el Consejo de los Derechos Humanos desempeña un papel crucial. Tras la Asamblea General y el Consejo de Seguridad, es la tercera instancia más importante de la ONU. Contrariamente a lo que sucede en el Consejo de Seguridad, en el Consejo de los Derechos Humanos no existe derecho de veto. Las grandes potencias están sometidas a la ley de la mayoría, a su vez dominada por una alianza entre los Estados miembros de la

OCI (Organización de la Conferencia Islámica) y los Estados del NAM (Non-Aligned Movement, 'Movimiento de los No Alineados'). Progresivamente —y ése es el caso especialmente en el asunto de Darfur—, el Consejo de los Derechos Humanos va adquiriendo el estatuto de un anti-Consejo de Seguridad.

El proyecto de resolución preveía la apertura, a través del Chad, de corredores humanitarios para el suministro de alimentos, agua y medicamentos a las víctimas, y la prohibición del espacio aéreo de Darfur a todo avión que no fuera admitido por la ONU.

En el viento gélido, Sarala Fernando avanzaba con dificultad. Es una mujer de edad madura, con hermosos ojos negros y con una penetrante inteligencia que, entre los diplomáticos asiáticos acreditados en Ginebra, goza de una influencia y un prestigio deslumbrantes.

De pronto, a mitad de camino, se detuvo.

«*Why are they attacking us all' the time?... We are civilised... But sometimes it is very difficult to control ourselves, not to speak out...*» ('¿Por qué nos atacan sin tregua?... Somos personas civilizadas... Pero a veces nos resulta muy difícil controlarnos, no decir clara y abiertamente nuestra opinión...').

A Sarala Fernando le costaba dominar su cólera. La proposición, avanzada por los representantes de la Unión Europea, de condenar con una dura resolución al régimen islamista de Sudán, la sacaba de quicio. En la mesa del embajador de Irlanda, se había callado. Y ahora explotaba.

«*And the Germans, what did they do not so long ago?*» ('¿Y qué hicieron los alemanes no hace tanto tiempo?'). La alusión iba dirigida contra el embajador alemán Michaël Steiner que, en ese mes de marzo de 2007, presidía el grupo de embajadores de la Unión Europea.[1]

«¿Y los ingleses? ¿Recuerda usted lo que les hicieron a los tejedores indios? Para destruir la industria textil de la India e imponer su monopolio, les rompieron los dedos a los tejedores, hombres, mujeres y niños... Y en mi país, en Sri Lanka, cuando llegaron los ingleses, declararon *waste lands* —tierras sin dueño— cientos de miles de hectáreas de tierras de cultivo en las que trabajaban y vivían nuestros campesinos. Los campesinos fueron expulsados. El hambre exterminó a cientos de miles de lugareños. Los ingleses establecieron sus plantaciones de té sobre los osarios repletos de cadáveres de nuestros campesinos».

En la noche glacial, se apoderó de mí la sorpresa. Esta intelectual de origen budista, indiscutiblemente cultivada y perfectamente informada de los horrores de Darfur, consideraba entonces toda condena por parte de los occidentales de la dictadura de Omar Bachir como un ataque insoportable contra los pueblos del hemisferio sur.

Evidentemente, Sarala Fernando no estaba ciega ante los sufrimientos que soportan las poblaciones de las tres provincias del Sudán occidental. Como cualquier ser humano, estaba horrorizada por la violación a gran escala de las mujeres africanas, las mutilaciones infligidas a los niños y el degüello de los padres ante los ojos de sus familias reunidas que llevan a cabo los yanyauids.

Sin embargo, niega cualquier forma de colaboración con los Estados europeos miembros del Consejo de los Derechos Humanos.

Este rechazo acarrea consecuencias. Para evacuar a los heridos, enterrar dignamente a los muertos y proteger a las poblaciones que aún conservan la vida, es necesario poner en marcha un mecanismo propio de la ONU, que sólo puede funcionar con el apoyo de los principales Estados, y por tanto también con el de los países del Sur. Este mecanismo se denomina *Responsibility to protect* ('la responsabilidad de proteger').

En Nueva York, el 6 de octubre de 2006, el Consejo de Seguridad había votado una resolución que preveía el envío de veinte mil cascos azules encargados de poner fin a la destrucción de las poblaciones africanas de Darfur. Ahora bien, la puesta en marcha de esta resolución sólo era posible, en virtud de la *Responsibility to protect*, con el soporte de los principales Estados. La negativa a colaborar con los occidentales, en este caso, equivalía a dejar las manos libres a los genocidas.

Sarala Fernando es el arquetipo del gran diplomático formado en el hemisferio sur. Habida cuenta de los crímenes, presentes y pasados, cometidos por Occidente, considera perfectamente indecente la invocación de los Derechos Humanos por parte de un embajador occidental, cualesquiera que sean las circunstancias.

Tanto en Nueva York como en Ginebra, la grandísima mayoría de sus colegas —argelinos, filipinos, senegaleses, egipcios, paquistaníes, bengalíes, congoleses, etc.— piensa exactamente lo mismo que ella.

Porque su memoria guarda las mismas heridas que las de Sarala Fernando. También ellos habitan la «llaga sagrada» de la que habla Aimé Césaire.

El odio a Occidente, esta pasión intransigente, está vivo en la actualidad en una gran mayoría de los pueblos del Sur. Y actúa como una poderosa fuerza de movilización.

En ningún caso este odio es patológico, sino que inspira, al contrario, un discurso estructurado y racional. Y paraliza las Naciones Unidas. Al bloquear la negociación internacional, deja sin soluciones conflictos y graves problemas que, no obstante, comprometerían, llegado el caso, la supervivencia misma de la especie.

Occidente, por su lado, permanece sordo, ciego y mudo frente a estas manifestaciones identitarias, fundadas en un profundo deseo de emancipación y de justicia que emana de los pueblos del Sur. Este odio le resulta ininteligible.

Porque la memoria de Occidente es dominadora, impermeable a la duda. La de los pueblos del Sur, en cambio, es una memoria herida. Y Occidente ignora tanto la profundidad como la gravedad de estas heridas.

Oigamos lo que dice Régis Debray: «No entenderá nada del siglo XXI quien no capte en la actualidad, una al lado de la otra, dentro del género humano, dos especies, una de las cuales no ve a la otra: los que humillan y los humillados. [...] La dificultad procede de que los que humillan no se perciben a sí mismos en el acto de humillar. Les gusta cruzar la espada, pero raras veces la mirada con los humillados».[2]

Y continúa Debray: «Se han quitado el casco, pero debajo su cabeza sigue siendo colonial».

En su artículo «Histoire, mémoire et mondialisation», Bertrand Legendre y Gaídz Minassian confirman por su parte: «El Sur ya no mendiga ayuda al Norte. Exige reparación, si no un acto de contrición [...]. Todo el continente [africano] clama justicia [...]. Los europeos minimizan los estragos de la esclavitud. Prefieren exaltar su abolición [...], como François Mitterrand poniendo flores en la tumba de Victor Schoelcher en el Panteón, el día de su investidura en 1981 [...]. Los descendientes de los esclavos les reclaman reparación, pues dicen seguir sufriendo, todavía en la actualidad, las consecuencias de estas deportaciones».[3]

Estas reivindicaciones de justicia, estas reclamaciones de arrepentimiento, se multiplican en los tres continentes.

Legendre y Minassian: «Las protestas de la memoria, por su diversidad y su amplitud, coinciden demasiado en el tiempo como para ser fruto de la casualidad».[4]

Mi libro querría desenterrar las raíces de este odio. Querría también explorar las vías de su superación.

¿Cómo entender la repentina irrupción, en la sociedad planetaria contemporánea, del odio a Occidente? Veo dos explicaciones.

La primera reside en el brusco resurgimiento de la memoria herida del Sur. Los recuerdos, sepultados durante mucho tiempo, las humillaciones soportadas durante los tres siglos de la trata y de la ocupación colonial vuelven a salir a la luz de la conciencia. La memoria herida es una poderosa fuerza histórica.

Consagro la primera parte de mi libro a su exploración.

La segunda explicación está basada en una contradicción insoportable entre demografía y poder: desde hace más de quinientos años, los occidentales dominan el planeta. Ahora bien, los blancos nunca representaron más del 23,8 por 100 de la población mundial, y en la actualidad apenas el 13 por 100.

Por ese motivo, la mayoría de las mujeres y de los hombres que viven en el hemisferio sur considera el actual orden económico del mundo impuesto por las oligarquías del capital financiero occidental como el producto de los sistemas de opresión anteriores, especialmente de la trata y de la explotación colonial. Este orden del mundo genera indecibles sufrimientos y nuevas humillaciones para una gran cantidad de hombres, mujeres y niños del Sur. Y alimenta también el odio a Occidente.

La segunda parte del libro examina los fundamentos de este orden caníbal y sus efectos sobre la conciencia.

Desde hace siglos, Occidente intenta confiscar en su único provecho la palabra «humanidad». En su obra magistral *L'Universalisme européen. De la colonisation au droit d'ingérence*, Immanuel Wallerstein reconstruye las etapas históricas de la constitución de esta «humanidad etnocéntrica».[5]

Occidente es un potentado que se ignora como tal, dice. Su pasatiempo favorito consiste en impartir lecciones de moral al mundo entero. Su memoria es de piedra. Se confunde con sus intereses económicos.

Su arrogancia lo ciega. Desde hace mucho tiempo, Occidente ya no es capaz de percatarse del rechazo que suscita.

En materia de desarme, de derechos humanos, de no proliferación nuclear y de justicia social planetaria, hace uso permanentemente de un doble lenguaje.

Y el Sur responde con una desconfianza visceral. Considera a este Occidente, cuya práctica desmiente constantemente los valores que proclama, como a un esquizofrénico.

La estrategia del doble lenguaje paraliza la negociación internacional. Vuelve imposible la defensa colectiva del Sur y del Oeste contra los peligros mortales que, sin embargo, amenazan a ambos.

Basada en varios ejemplos recientes, la tercera parte de este libro analiza tales peligros y las responsabilidades de la conducta esquizofrénica de Occidente.

La cuarta parte explora el destino sintomático de Nigeria. En efecto, el país más poblado de África, y uno de los más ricos del mundo, se encuentra actualmente sometido a la explotación de los señores occidentales de la guerra económica mundial.

Primer productor de petróleo en África y octavo más importante del mundo, Nigeria está gobernada desde 1965 por sucesivas juntas militares. El país nunca disfrutó de una soberanía real. En este momento, es víctima impotente de Shell, BP, Total, Exxon, Texaco y otros predadores. Y el 70 por 100 de su población sobrevive en una miseria insondable. Naturalmente, el odio a Occidente florece sobre esta realidad.

Desde enero de 2006, en Bolivia un campesino aymara, Evo Morales Ayma, está instalado en el Palacio Quemado. Es el primer presidente indio de un país de América del Sur desde la devastación española del siglo XV.

Morales ha provocado una ruptura telúrica con el orden del mundo, infligiendo a Occidente una derrota cruel. Es así como la resurrección identitaria de los pueblos aymara, quechua, moxo y guaraní moviliza fuerzas de combate, de resistencia y de creación inusitadas. En la quinta parte, analizaremos la irradiación continental del renacimiento boliviano. Trataremos también de dar exacta cuenta de ella: la valorización permanente de la política y de la cultura indigenistas, efecto del odio a Occidente, ¿es acaso compatible con los principios universales del derecho?

Atenazada entre el doble lenguaje de Occidente, por un lado, y, por otro, el odio de los pueblos del Sur, la comunidad internacional no consigue imponerse en la actualidad. Es la ruina para las Naciones Unidas. Y esta ausencia de diálogo pone al planeta en peligro de muerte.

La Conferencia Mundial para el Desarme se encuentra así totalmente paralizada desde hace cuarenta y dos años. Y se incrementa la proliferación de armas nucleares cada vez más mortíferas.

En septiembre de 2000, ciento noventa y dos jefes de Estado y de gobierno se reunieron en Nueva York. Fijaron las «metas del Milenio» (*Millennium goals*), que aspiran a la eliminación gradual de la desnutrición y el hambre, las epidemias y la miseria extrema que padecen dos mil doscientos millones de seres humanos. Pero, hasta el momento, no se ha producido ningún progreso en esta vía.

Al comienzo de este milenio, en un planeta que nada en la abundancia, muere un niño menor de diez años cada cinco segundos. Por hambre o por enfermedad.

La guerra económica es devastadora.

La humillación, la exclusión y la angustia por el día de mañana son el patrimonio de cientos de millones de seres humanos. Sobre todo en el hemisferio sur. Para ellos, la Declaración Universal de los Derechos Humanos y la Carta de las Naciones Unidas no son otra cosa que palabras vacías.

¿Cómo obligar a Occidente a que se haga responsable y a que respete sus propios valores? ¿Cómo desarmar el odio del Sur? ¿En qué condiciones concretas podría establecerse el diálogo?

¿Cómo construir una sociedad planetaria reconciliada, justa y respetuosa para con las identidades, las memorias y el derecho a la vida de todo el mundo?

Mi libro querría movilizar fuerzas para contribuir a la resolución de estas cuestiones e intentar poner término a la tragedia.

EL ODIO A OCCIDENTE

PRIMERA PARTE

LOS ORÍGENES DEL ODIO

I

LA RAZÓN Y LA LOCURA

Jean-Paul Sartre escribía: «Para amar a los hombres, es necesario detestar enérgicamente eso que los oprime».

En esta frase hay una palabra crucial. La palabra «eso». Si la quitáis, incitaréis a detestar a las personas o las naciones. Ahora bien, son las estructuras de opresión, tanto mentales como materiales, las que son odiosas.

El orden occidental del mundo responde a una violencia estructural. Occidente se afirma portador de valores universales, de una moral, de una civilización y de normas en virtud de las cuales se invita a todos los pueblos del mundo a hacerse cargo de su destino.

Pero actualmente esta pretensión secular de Occidente la impugnan radicalmente la inmensa mayoría de los pueblos del Sur. Ven en ella una insoportable manifestación de arrogancia, una violación de su identidad, una denegación de su singularidad y de su memoria.

¿Qué es lo que abarca el término «Occidente»?

La palabra deriva del latín *occidere*, caer. En la Antigüedad, designaba la región de la tierra donde se ponía el sol (el Poniente), por contraste con aquella otra en que se levanta, el Oriente (el Levante). El alemán retomó este sentido en *Morgenland*, el país de la mañana, y *Abendland*, el país del atardecer.

Occidente es pues, en primer lugar, un territorio. Pero sus fronteras cambiaron con el paso de los siglos. Primero puramente europeo, se volvió euroatlántico con el «descubrimiento» de América.

Occidente, además, se define a la vez por quienes proclaman pertenecer a él y por quienes lo rechazan.

Las crónicas árabes que cuentan la batalla ganada en 1187 por Saladino ante Jerusalén designan a los caballeros de Europa —ingleses, franceses, alemanes— como «infieles», «cristianos» y «occidentales». Occidente y Cristiandad habrían de ser términos equivalentes durante todo el periodo de las cruzadas, hasta el siglo XIV. Ya no lo son en la actualidad, en la medida en que Europa se ha descristianizado profundamente. El único continente en que los cristianos son verdaderamente numerosos, donde el cristianismo está realmente vivo, es América (y especialmente América del Sur).

Entre el siglo XVI y el XIX, durante el periodo de la conquista colonial (europea) de África, Asia y Oceanía, los occidentales eran «los blancos». Blancos y occidentales aparecen así como términos sinónimos en los libros escolares de la primera mitad del siglo XX. Actualmente, la referencia a la «raza», desacreditada en el plano científico, se ha desterrado oficialmente del vocabulario. Además, otros blancos distintos a los procedentes del mundo euroatlántico desempeñan en adelante un papel político, económico y militar crucial: los persas, los turcos, los bereberes de Libia, etc.

¿Cuál es en la actualidad la acepción corriente de la palabra Occidente?

Fernand Braudel, en sus conferencias en la Universidad Johns Hopkins, aventuraba una respuesta: Occidente se define esencialmente por su modo de producción, el capitalismo. Más que nunca, éste permanece clavado a su sueño de conquista planetario. Se basa en monopolios de derecho o de hecho, aun cuando no ocupe todo el espacio social, ni en las tierras conquistadas ni en sus tierras de origen.[1]

Principal representante de la escuela braudeliana en Estados Unidos, Immanuel Wallerstein ha desarrollado el pensamiento de su maestro. Identifica varias aplicaciones de la voluntad de conquista y de la pretensión universalista de Occidente.

En virtud de la primera, los dirigentes del mundo euroatlántico pretenden defender y, según los casos, imponer en toda la superficie del globo los «Derechos Humanos» y esa forma de gobierno que llaman «la democracia». La afirmación universalista de su cultura de origen los conduce lógicamente al rechazo y a la negación de todas las demás culturas y todos los demás tipos de civilización. Si actualmente les reconocen el derecho a la existencia (exótica, folclórica), no los toman en serio en tanto que se asocian a otros modos de producción económica. En virtud de una tercera aplicación, los responsables occidentales proclaman la existencia de leyes económicas «inmutables», de leyes «científicas» del mercado equiparables a las leyes «naturales». Por lo cual, si desean «desarrollarse», los pueblos no occidentales no tienen más remedio que someterse a tales leyes.[2]

Esta pretensión es la que suscita el odio. Pero el odio del que hablamos aquí es frío y razonado. Expresa el rechazo radical de un sistema mundial de dominación y de una visión totalizante de la Historia, ambos impuestos por Occidente. Este odio se manifiesta mediante actos de resistencia, exigencias de arrepentimiento y reivindicaciones memoriales.

En pocas palabras, este odio alimenta en la actualidad una rebelión ética, radical, definitiva, que es tan afectiva como económica y política.

Al igual que Aimé Césaire, los pueblos del Sur dicen: «Ya no es posible aguantar tantas mentiras, tanta abominación».

Para comprender lo que está en juego, hay que distinguir con claridad el odio razonado de su cara oscura, el odio patológico.

De manera recurrente en la Historia, se produce lo que Max Horkheimer llamaba un «eclipse de la razón».[3] La razón se desmorona, y los instintos más tenebrosos y las más detestables perversiones gobiernan entonces los actos de los hombres.

Francisco de Goya fue testigo, en el Madrid ocupado, de las torturas y ejecuciones practicadas por los soldados de Napoleón, pero también de los actos horripilantes perpetrados por los insurgentes españoles sobre los cuerpos indefensos de los prisioneros franceses. En sus pinturas negras, serie de cuadros de pesadilla, pintadas entre 1819 y 1823 en las paredes de su casa, la Quinta del Sordo, Goya da vida a esta patología social. Piénsese, por ejemplo, en la extraordinaria representación de Saturno devorando a uno de sus hijos. Los frescos de la Quinta fueron desmontados y se conservan ahora en el Museo del Prado, en Madrid. Uno de estos cuadros se presenta así actualmente: «El sueño de la razón engendra monstruos».

Una manifestación ejemplar de este odio monstruoso tuvo lugar la mañana del 11 de septiembre de 2001 en Nueva York, Washington y el cielo de Pennsylvania. Hoy día se sabe que diecinueve jóvenes, la mayoría originarios de Arabia Saudí, utilizaron dos aviones de línea llenos de pasajeros para destruir los dos rascacielos del World Trade Center situados en la punta sur de la isla de Manhattan. Un tercer avión se estrelló contra el ala este del edificio central del Ministerio de Defensa en Washington. Destinado a incendiar la Casa Blanca, un cuarto avión se desplomó en una pradera de Pennsylvania, después de que los pasajeros —informados a través de sus teléfonos móviles de los ataques de Nueva York y Washington— hubieran intentado neutralizar a los terroristas en el interior del aparato.

2.973 personas (incluidos los piratas), pertenecientes a sesenta y dos nacionalidades diferentes, encontraron la muerte.

La matanza fue especialmente horrible en Nueva York.

La primera torre ardió durante cincuenta y seis minutos, y la segunda durante ciento dos minutos. Rodeados por las llamas, centenares de hombres y de mujeres saltaron al vacío desde lo alto de los pisos situados más arriba de los puntos de impacto de los dos aviones, o sea de los pisos cien y ciento dieciséis respectivamente. Mientras caían, parejas y amigos se cogían de la mano, antes de estrellarse contra la acera.

Otros cientos de víctimas murieron asfixiadas en las cajas de las escaleras, donde asimismo perecieron cerca de cuatrocientos bomberos, guardias municipales y policías que intentaban prestar ayuda a los sitiados.

Las dos torres se desmoronaron casi en el mismo momento. El tiempo que duró la caída fue de doce segundos. En la caída de un edificio vecino (Cantor Fitzgerald), murieron asimismo 658 mujeres y hombres.

El *Informe de investigación de la New York Port Authority* (de noviembre de 2001), del que se extraen estas cifras, establece tres categorías igualmente macabras: 1. «*Bodies found intact*» ('cadáveres encontrados intactos'): 289; 2. «*Body parts found*» ('fragmentos de cuerpos'): 19.858; 3. «*Families who got no remains*» ('familias que no recibieron ningún resto'): 1.714.

Es decir, 1.714 familias aguardaron vanamente aunque no fuera más que un pedazo del cuerpo de sus allegados. Sus hijos, hijas, padres, madres o hermanos fueron totalmente consumidos por las llamas o hechos picadillo por el desmoronamiento de los postes metálicos.

En muy pocas ocasiones, en la Historia reciente, el odio patológico había producido devastación con tal ferocidad.

Al Qaeda, los grupúsculos salafistas magrebíes y los yihadistas de Oriente Medio pertenecen al mismo universo alucinado. Sus actos, perpetrados generalmente contra poblaciones civiles, son monstruosos. Y poco importa aquí que pretendan responder a las agresiones cometidas por la soldadesca estadounidense y sus aliados contra las poblaciones de Irak, Afganistán y Palestina.

Estos movimientos, que pretenden inspirarse en el Corán, practican exactamente lo contrario de lo que el Corán enseña. Esta patología tiene su origen, desde luego, en un sufrimiento profundo. Éste debilita a los individuos, sobre todo a los jóvenes. Los expone a las tentaciones, las manipulaciones y demás reclutamientos cuyo análisis aún está por hacer.[4] El odio razonado ha nacido del mismo sufrimiento. Ahora bien, el odio razonado que oponen en la actualidad numerosos pueblos del Sur al magisterio moral de Occidente y a su sistema de explotación económica planetaria se encuentra en las antípodas de las explosiones recurrentes del odio patológico.

Sí, tenemos que insistir en ello desde el comienzo: años luz separan a Nabil Sahraoui, alias Mustapha Abu Ibrahim, a Amara Saif, llamado Abderrazak El Para, y a Abdelaziz Abi, llamado Okada El Para, los difuntos jefes del Movimiento Salafista para la Predicación en el Magreb, o incluso a Abdelaziz al-Murkin, jefe de Al Qaeda en la península arábiga, de un Evo Morales Ayma o de un Wole Soyinka, de quienes trataremos ampliamente más adelante.

Vivimos en la época del retorno de la memoria. Los pueblos, bruscamente, recuerdan las humillaciones y los horrores padecidos en el pasado. Y han decidido pedir cuentas a Occidente.

La memoria herida de los pueblos antaño colonizados se ha convertido en la actualidad en una poderosa fuerza histórica. Pero ¿por qué estas reivindicaciones de justicia reparadora y de arrepentimiento dirigidas por el Sur a Occidente no han surgido hasta hoy, es decir, hasta más de un siglo después de la abolición de la trata y cincuenta años después del final de la ocupación colonial?

2

LOS MEANDROS DE LA MEMORIA

La memoria colectiva obedece a ritmos que ninguna razón analítica consigue explicar por completo. De todas las estructuras sociales, es probablemente la más enigmática.

Hay un sociólogo cuya obra está casi enteramente consagrada a la exploración de la morfología y las etapas del devenir de la conciencia colectiva: se trata de Maurice Halbwachs. Dos de sus libros son especialmente ilustrativos para nuestras intenciones: *Les Cadres sociaux de la mémoire*[1] y *La memoria colectiva*, un libro póstumo aparecido en 1950.[2]

Maurice Halbwachs murió en Buchenwald, poco antes de la liberación del campo de exterminio, en 1945.

Halbwachs formula una teoría empíricamente verificable: al igual que los individuos, las sociedades humanas pueden experimentar el estado de conmoción, el desasosiego paralizante provocado por una agresión exterior, padecida sin previo aviso, y que manifiesta una violencia inaudita que ninguna categoría preexistente del pensamiento social consigue aclarar.

Ahora bien, ¿cómo reacciona una sociedad en estado de conmoción? Destierra a lo más profundo de su memoria el acontecimiento destructor que su conciencia no consigue dominar. Existen, pues, memorias claras y memorias oscuras. Jean Duvignaud, exégeta y editor de Halbwachs, escribió: «Las sociedades históricas poseen memorias que provisionalmente escapan a la historia».[3]

Cuanto más traumatizante es un acontecimiento para una sociedad, más profundamente se hunde éste en su memoria. La conciencia colectiva debe entonces domesticar lentamente el horror vivido. Sólo después de un largo periodo de maduración podrá hacerse posible la comunicación, y el horror vivido transformarse en objeto de análisis.

En *Todos los ríos van al mar*, primer volumen de su autobiografía, Elie Wiesel analiza estos ritmos misteriosos.[4] Los supervivientes de la Shoah se negaron durante mucho tiempo a hablar: ya porque no se sintieran capaces —tan horribles eran los recuerdos que arrastraba su memoria—, ya porque tuvieran miedo —en razón de la monstruosidad de los crímenes cometidos— de no ser creídos.

En París, los supervivientes franceses (o de otras nacionalidades) de los campos de concentración nazis fueron, como es sabido, acogidos y atendidos por la Cruz Roja en el hotel Lutetia, en el bulevar Raspail. Pero apenas se les interrogó. Como señala amargamente Marguerite Duras, nadie quería escucharlos.

Robert Antelme era el marido de Marguerite Duras. Gran resistente, había pertenecido a la misma red que François Mitterrand. Fue arrestado por la Gestapo, torturado y deportado a Buchenwald.

Ante el avance del Ejército Rojo, las SS desplazaban hacia el Oeste a los detenidos supervivientes a lo largo de interminables marchas de la muerte. Aquejado de disentería, convertido casi en un esqueleto irreconocible, Antelme formó parte de la última columna que abandonó Buchenwald.

François Mitterrand, que se había convertido, en el gobierno de De Gaulle, en responsable de la repatriación de los prisioneros de guerra y deportados, descubrió a Antelme en Dachau.

Y se lo llevó a París.

Marguerite Duras describe este regreso en su libro *El dolor*.

Robert Antelme era también un poeta sutil y un escritor de gran talento. En 1947, publicó *La especie humana*, un libro dedicado a lo que él mismo había vivido en el campo de Buchenwald y en el kommando de Gandersheim, una «sucursal» de Buchenwald.

François Mitterrand consideraba que *L'Espèce humaine* era «uno de los libros más importantes sobre los campos de concentración», y añadía: «Fue poco leído y cayó casi enseguida en el olvido».[5]

En *Le Square*, de Marguerite Duras, aparecido en 1955, se puede leer todavía esta frase: «Se les obligaba a regresar en silencio».

París quería liberarse de la pesadilla de la Ocupación, olvidar los horrores nazis, tanto los que habían sido cometidos en su propio territorio como los que se habían infligido a los deportados en los campos de concentración del Este.

Ahora bien, como Elie Wiesel señala con vigor, nadie en la época de la caída del III Reich podía pretenderse ignorante de los crímenes cometidos por los asesinos hitlerianos.

A partir de octubre de 1945, ante el Tribunal Internacional de Nuremberg, el procurador general estadounidense, Robert Jackson,[6] y su adjunto, el procurador Robert Kempner, sostenían la acusación por crímenes contra la humanidad. Lo hicieron con un máximo de rigor, pero también —y con acierto— con un máximo de publicidad.

Más de quinientos periodistas del mundo entero siguieron así los debates.

Los verdugos nazis eran hombres concienzudos y laboriosos. Cientos de miles de documentos que probaban sus crímenes cayeron en manos de los aliados. Jackson contrató a decenas de juristas para seleccionarlos y extraer de ellos los más espantosos. Además, tenía a su disposición las películas rodadas por los cineastas de los ejércitos aliados en el momento de la liberación de los campos.

Jackson hizo proyectar esas películas.

Finalmente, se citó a varios testigos oculares.

Claude Vaillant-Couturier, deportada por actividades de resistencia, prestó así testimonio de los horrores que había padecido en Auschwitz.

Vassili Grossman fue el primer corresponsal soviético en

entrar en las ruinas del campo de exterminio de Treblinka. También él prestó testimonio.

En resumen: a partir de noviembre de 1945, nadie en Europa o en el mundo podía ignorar el exterminio de cerca de seis millones de seres humanos, judíos, gitanos, enfermos mentales, etc., y la deportación en masa de comunistas, homosexuales, soviéticos, etc., por los nazis.

Y sin embargo, la Shoah cayó casi en el olvido durante más de dos generaciones. La consciencia universal la reprimió en lo más profundo de sí misma.

El destino de Raul Hilberg es revelador. Actualmente considerado como uno de los más importantes historiadores de la Shoah, sabio de reputación mundial, desarrolló la mayor parte de sus investigaciones en medio de una indiferencia casi general. Disecando con una precisión extrema un proceso que implicaba prácticamente la totalidad de la sociedad alemana —ferroviarios, químicos, arquitectos, médicos, burócratas—, fue él quien desmontó el mecanismo del genocidio.

Judío austríaco refugiado en Estados Unidos, concluyó su tesis doctoral, titulada *La Bureaucratie de l'Allemagne Nazie* ['La burocracia de la Alemania nazi'], en 1955 pero no consiguió que se publicara.

En 1961, apareció en una edición confidencial su obra monumental: *La destrucción de los judíos de Europa*. La obra no tuvo prácticamente ningún eco.

Profesor agregado en la oscura Universidad del Estado de Vermont, en Burlington, Hilberg no dejó por ello de desarrollar sus investigaciones ni de publicar artículos... en un anonimato casi total.

La situación sólo cambió para él —y de un modo radical, hay que reconocerlo— veinticinco años más tarde, cuando apareció la segunda edición de *La destrucción de los judíos de Europa*, en 1985. En tal ocasión, la publicación tuvo un eco extraordinario. Y la autoridad científica de Hilberg fue mundialmente reconocida.[7]

Tras haber avanzado con un ritmo misterioso, la conciencia colectiva estaba por fin preparada para acoger la espantosa realidad de la Shoah.

En la actualidad, asistimos a la irrupción de otra memoria enterrada, la de los pueblos antiguamente colonizados del hemisferio sur. «Vivo en un largo silencio, vivo en una sed irremediable»,[8] escribió Aimé Césaire. Al igual que la memoria judía, la de los antiguos pueblos colonizados conoció un largo silencio, seguido por un brusco despertar.

Al oeste de la isla indonesia de Java, en Bandung, se reunieron, del 18 al 24 de abril de 1955, los dirigentes y las dirigentes de veintisiete países del Sur: quince procedían de Asia, nueve de Oriente Medio y tres de África. La conferencia había sido preparada por un comité restringido compuesto por la India, Birmania, Sri Lanka,[9] Pakistán e Indonesia. Para ellos, se trataba de definir una política militar, cultural y económica común para hacer frente a las potencias coloniales occidentales y afirmar una identidad cultural y política propia de los países del Sur.

La conferencia de Bandung dio nacimiento a un movimiento estructurado y poderoso, dotado de una presidencia por turnos, un secretariado permanente y comités de coordinación continental. Cada tres años debían celebrarse congresos generales. De este encuentro de capital importancia surgió el Movimiento de los No Alineados.

Bandung marcó un momento decisivo en la recuperación por parte los pueblos del Sur de su memoria y la reconstrucción de su identidad frente al imperialismo occidental.

En los tres continentes, cientos de millones de personas seguían viviendo todavía bajo el yugo colonial o bajo el de las dictaduras satélites implantadas por las metrópolis.

Pero Bandung era ante todo un movimiento identitario. A través de la voz de algunos de sus líderes más prestigiosos, los pueblos del Sur afirmaban, por el contenido mismo de esta cumbre, su singularidad cultural, política e histórica.

Escuchemos a Jawaharlal Nehru, jefe del partido del Congreso y primer ministro de la India: «[...] Muchos indios de mi generación pensaban que la derrota de los insurgentes cipayos significaba una herida mortal para nuestros pueblos. Nos engañábamos. La resurrección llegó en 1947 [...]. El reinado de los británicos no fue más que un paréntesis [...]. Nuestro país alberga muchas culturas diferentes. Algunas de ellas tienen más de cinco mil años de antigüedad [...]. El Raj británico ejerció un reinado cruel de destrucción, muerte y humillaciones cotidianas. Pero, finalmente, si miramos el fondo de las cosas, ese reinado, por muy detestable que haya sido, no significó más que una puesta entre paréntesis, una interrupción provisional de nuestra historia. La India renació de su humillación. Y retomó orgullosamente el curso ancestral de su historia».[10]

Cuando se releen los documentos y las actas de la conferencia de Bandung, uno se sorprende de la importancia capital que en ella ocupan los temas identitarios, la reivindicación de la singularidad cultural.

Un joven coronel de treinta y siete años y mirada oscura, con la tez mate y exaltada voz, causó una impresión especial.

Alzado al poder por un golpe de Estado,[11] Gamal Abdel Nasser concebía su misión como la de un «unificador», un «liberador», un «redentor» del pueblo de Egipto. La caravana necesitaba un guía, y él iba a ser ese guía.

La liberación del pueblo pasa por el redescubrimiento de la comunidad histórica precolonial, dijo Nasser: «Siempre he dicho que el mejor medio para resolver un problema era remontarse a su origen, ir hasta la raíz del mal. En mi opinión, no se puede desdeñar el Egipto faraónico ni la interacción de la cultura griega con la nuestra. La invasión romana y la conquista islámica, así como las olas de inmigración árabes que les siguieron, marcaron profundamente a nuestro país [...]».

Y más adelante: «Si las cruzadas marcaron los primeros resplandores del Renacimiento en Europa, anunciaron también el inicio de la época oscura de nuestro país. Solitariamente soportó nuestro pueblo el choque de estas batallas, que lo dejaron completamente empobrecido y sin protección alguna [...]».

Y Nasser concluyó: «Ha pasado ya la época en que la piratería colonialista expoliaba las riquezas de algunos pueblos en beneficio de otros sin el control de una ley o de cualquier tipo de moral. Hay que poner fin a todas las secuelas que todavía puedan perdurar de aquella situación».

Jefe del partido nacionalista y, desde 1950, presidente de la República unitaria de Indonesia, Ahmed Sukarno hizo, por su parte, extensas referencias al pasado precolonial, tomando prestados a la memoria colectiva los nombres de los grandes reyes de Sumatra y de Java, especialmente los de Vijaya, Hayam Wuruk y Airlangga. En su discurso, utilizó frecuentemente la expresión «los blancos», sugiriendo con ello que la Unión Soviética no sigue una política fundamentalmente diferente de la de las occidentales...

Insisto: Bandung marcó el nacimiento de un movimiento identitario. Se impugna al opresor occidental en nombre de las memorias ancestrales, las identidades y las culturas singulares de los pueblos del Sur.

Régis Debray: «Lo arcaico es el núcleo duro, lo más antiguo es lo más activo».[12]

La declaración final de la conferencia de Bandung manifestaba la prioridad concedida por los participantes a la afirmación identitaria autóctona frente a la pretensión universalista del dominador occidental.

Para los dirigentes del hemisferio sur, esta pretensión occidental era resultado del racismo.

En la declaración final, se puede leer: «Asia y África fueron la cuna de grandes religiones y grandes civilizaciones que enriquecieron a otras culturas y otras civilizaciones. Las culturas asiáticas y africanas están basadas en fundamentos espirituales universales. [...] La conferencia condena el racismo en tanto que medio de opresión cultural».

A continuación, las conferencias del Movimiento de los No Alineados se sucedieron a un ritmo de una cada tres años: en El Cairo, Yakarta, Colombo, Lusaka, Argel, Nueva Delhi, Harare, Cartagena de Indias y Kuala Lumpur.

Pero, muy pronto, ya nadie concedió verdadera atención a las decisiones que se habían tomado. Ritualizados al extremo, asfixiados por la retórica, estos encuentros no daban ya lugar a consecuencia alguna. El Movimiento de los No Alineados se hundió en el olvido.

Otros movimientos, más regionales, recogieron por un tiempo la herencia de Bandung. Fue así como en las vetustas oficinas instaladas en Heliópolis, en El Cairo, se domicilió durante decenios el secretariado de la Organización de Solidaridad Afroasiática. Pero también, como en enero de 1966, se inauguró en La Habana la Conferencia Tricontinental, cuyo nombre oficial era: Conferencia Internacional de Solidaridad con los Pueblos en Lucha. Estaban allí representados los movimientos de liberación nacional procedentes de sesenta y dos países de África, de América Latina y de Asia. Al multiplicar los frentes de resistencia antiimperialista, se trataba, para los iniciadores del movimiento, de obligar a que se dispersaran las fuerzas de opresión occidentales. Y al coordinar, en un segundo momento, todos estos frentes mediante una estrategia común, la Tricontinental tenía la ambición de preparar la victoria decisiva del Sur sobre Occidente.

La creación de la Tricontinental había sido preparada con celo durante dos años. Tres secretarios ejecutivos animaban su Comité preparatorio: Mehdi Ben Barka, Ernesto Che Guevara y Amílcar Cabral.

Amílcar Cabral, fundador y dirigente del Partido Africano da Independencia de Guinea e do Cabo Verde (PAIGC), resume así el proyecto de la Tricontinental: «[...] porque la historia de las guerras coloniales —y también nuestra propia experiencia de diez años de lucha— nos enseñan que los agresores colonialistas no comprenden más que un único lenguaje, el de la fuerza, y no valoran más que una sola realidad, el número de sus cadáveres».[13]

A pesar de la extraordinaria minuciosidad con la que el contenido de la reunión había sido preparado, a pesar del entusiasmo que presidió los debates, la organización integrada de lucha que debía nacer de todos esos proyectos de resolución nunca llegó a ver la luz.

En La Habana, en un modesto inmueble de la Quinta Avenida, el secretariado de la Tricontinental vegetó durante decenios. Atraía a los visitantes extranjeros únicamente porque estaba dirigido por la radiante y valerosa Haydée Santamaría, una superviviente del ataque de La Moncada del 26 de julio de 1953...

Me acuerdo de un fin de jornada de noviembre de 2005, en Nueva York. La lechosa luz del atardecer penetraba por los ventanales de la planta baja del rascacielos de la ONU, a orillas del East River. En el flujo pardo del río, las últimas embarcaciones se alejaban perezosamente hacia Brooklyn.

Acababa de defender mi informe sobre el derecho a la alimentación ante la tercera comisión de la Asamblea General. El debate era intenso porque gran cantidad de embajadoras y embajadores de los Estados occidentales se mostraban hostiles a mis recomendaciones.

Me apresuraba a volver al Helmsley Hotel, y luego al Kennedy Airport.

Un ayudante me tendió entonces un papel. Lakhtar Brahimi deseaba verme con urgencia.

Brahimi es un diplomático influyente y especialmente inteligente, uno de los que más han marcado la historia de las Naciones Unidas. Antiguo ministro de Asuntos Exteriores de Argelia, fue él quien negoció los acuerdos de Taef, que ponían fin a quince años de guerra civil libanesa. En 2004, fue también él quien redactó y luego impuso tanto a los pastunes como a los tayicos la nueva Constitución de Afganistán.

En su temprana juventud de estudiante en Francia, había ingresado en El Cairo en los servicios exteriores del FLN.

En Bandung, había representado al pueblo argelino en lucha.

Tomé el ascensor hasta el piso 38, donde se distribuyen los despachos adornados con madera oscura del secretario general y de los subsecretarios.

Caluroso, discreto y amistoso como siempre, Brahimi me recibió con esta pregunta que yo no me esperaba: «¿Qué sabe usted de Bandung? ¿Qué es lo que piensa? ¿Qué dicen sus estudiantes? ¿Todavía hay alguien que sepa lo que sucedió en esa ciudad en 1955?».

Al percatarse de mi sorpresa, añadió: «Dentro de algunas horas deberé subirme al avión hacia París. Debo tomar la palabra en el coloquio Ben Barka. Mansour[14] me pidió que hablara de Bandung... A decir verdad, no sé si eso sigue interesando todavía a alguien. Pensé que quizás usted podría ponerme un poco al tanto».

¿Ayudar y aconsejar a este diplomático excepcional? La idea me pareció extravagante. Y además, en la percepción que tenía de ello entonces, Bandung estaba muerto, enterrado y olvidado desde hacía decenios.

¡Craso error!

¡Falsa percepción de la historia! Descuidaba el trabajo misterioso, subterráneo, lento e imprevisible de la memoria colectiva de los pueblos agredidos.

La decimocuarta cumbre del Movimiento de los No Alineados se celebró en La Habana del 11 al 16 de septiembre de 2006. Y allí, ¡extrema sorpresa!, el Movimiento, declarado moribundo, vivió su resurrección.

De los ciento dieciocho Estados miembros, estaban presentes ciento dieciséis. Otros dos (Haití y Santa Lucía) se unieron a ellos durante la cumbre. Cincuenta y cinco jefes de Estado o de gobierno tomaron allí la palabra.

Raúl Castro Ruz, primer vicepresidente del Consejo de Estado de Cuba, que sustituyó a su hermano enfermo, no ocultó tampoco su profundo asombro: «Habiendo atravesado diferentes etapas a lo largo de la historia, el Movimiento tuvo que arrastrar el fardo de la indiferencia y de la inacción. Durante la década de 1990, estaba amenazado de extinción...».

En La Habana, se adoptaron cuatro documentos: el documento final de la cumbre, el plan de acción del Movimiento, la declaración política y el documento sobre Palestina. Estos cuatro textos forman a partir de entonces el armazón normativo del Movimiento de los No Alineados.

En el seno de la Asamblea General de las Naciones Unidas, ciento veinte de los ciento noventa y dos Estados miembros pertenecen al Movimiento. Éste coordina su acción con la de los Estados miembros de otra organización interestatal poderosa y eficaz, la Organización de la Conferencia Islámica (OCI). Ésta está formada por cincuenta y tres miembros. En 2008, la presidencia de la OCI pasó de Pakistán a Senegal.

El poder político y diplomático del Movimiento de los No Alineados es impresionante. Pongamos un ejemplo. En marzo de 2006, la Asamblea General de la ONU creó el Consejo de los Derechos Humanos, encargado de velar por el respeto de la Declaración Universal de los susodichos derechos por parte de los Estados miembros. Este Consejo está formado por cuarenta y siete Estados elegidos por un periodo renovable de tres años. El Movimiento de los No Alineados encargó a una troika compuesta por Egipto, Malasia y Cuba la preparación de esas elecciones. Resultado: de cuarenta y siete Estados miembros, el Consejo cuenta actualmente con veintisiete Estados pertenecientes al Movimiento de los No Alineados.

3

LA CAZA DEL ESCLAVO

En *Les Cadres sociaux de la mémoire*, Maurice Halbwachs constata: «La reconstrucción del pasado memorizado siempre tuvo lugar en torno a objetos privilegiados».[1] ¿Cuáles son, para los pueblos del Sur, los «objetos privilegiados» que sirven de soporte para su reconstrucción memorial?

Para fundar sus reivindicaciones de justicia reparadora, compensaciones financieras y arrepentimiento, los pueblos invocan con obstinación en especial dos crímenes cometidos por Occidente: la trata de negros y la conquista colonial.

Examinemos en primer lugar la trata.

Más de veinte millones de hombres, mujeres y niños africanos fueron arrancados de su hogar y deportados al otro lado del Atlántico para servir como mano de obra en las plantaciones y en las minas, padeciendo hambre y enfermedades, y sufriendo tortura. Al describir la deportación haitiana, Alfred Métraux escribe: «Sin Auschwitz, los europeos nunca habrían sabido lo que ellos les hicieron a los africanos».[2]

Durante la travesía, entre el golfo de Benin y la bahía de Todos los Santos de São Salvador de Bahía (duraba más de dos meses de promedio), alrededor del 20 por 100 de los entre doscientos y trescientos hombres, mujeres y niños encadenados que transportaba un navío negrero morían por escorbuto, por hambre o, más sencillamente, por los malos tratos.[3]

Durante la primera noche de la travesía, los marinos, ebrios de ron, bajaban a la bodega para violar a las mujeres. Una mujer embarazada tenía un precio superior en el mercado de Olinda. Llegaban hasta tal punto debilitados que una cuarta parte de los supervivientes no podía abandonar el barco sin ayuda. Cadáveres ambulantes, piel grisácea y miradas ciegas, gran cantidad de ellos no conseguía dar más que algunos pasos en la playa, antes de desmoronarse. Poco después se los enterraba arrojando sobre ellos algunas paladas de tierra americana. En todas las ciudades portuarias de la costa atlántica de América Latina, había —conservada a menudo en la actualidad— una *cafuna*, una casa-fortaleza donde se encerraba a los supervivientes del transporte transatlántico para que se recuperaran.

Al cabo de algunas semanas, cuando los supervivientes, esqueléticos, se habían repuesto, los amos abrían las puertas de la *cafuna* y los negros eran conducidos a la plaza del mercado: allí los vendían, separando al hombre de su mujer y a los hijos de su madre.

La duración media de la vida de un esclavo agrícola de la región azucarera del Reconcavo de Bahía, en Brasil, era de siete años.[4]

Si se desea conocer con precisión las condiciones de vida de los esclavos agrícolas en Brasil, habrá que remitirse a los sermones del jesuita Antonio Vieira, en especial al que pronunció en 1663, ante los esclavos de una plantación del Reconcavo llamada Torcular: «Vuestros sufrimientos son muy semejantes a los sufrimientos de Nuestro Señor en la Cruz [...]. Su cruz estaba hecha con dos maderos, mientras que la vuestra tiene tres [en alusión a los tres radios de la rueda que hacía girar el molino de azúcar y a la que se encadenaba a los esclavos]. Del mismo modo que las dos cosechas [las dos cosechas anuales de caña de azúcar] suponen para vosotros una doble tribulación, Él también sufrió una doble pasión, primero cuando los hombres Le clavaron una corona de espinas en la cabeza, y luego otra, cuando los hombres Le hicieron beber vinagre mezclado con hiel [...]. La pasión de Cristo se prolongó durante una noche sin sueño y un día entero sin reposo, y así es como se prolonga vuestra pasión, día y noche y noche y día [...]. Cristo estaba desnudo. Vosotros estáis desnudos. Cristo tenía hambre y vosotros estáis hambrientos. Cristo fue torturado. Y vosotros también sois torturados. Se os humilla llamándoos con nombres vergonzosos [...]. En todo esto estáis hechos a imitación de Cristo. Sois unos mártires».[5]

En esta noche de la esclavitud, milagrosamente, el pueblo deportado continuó viviendo, creando y resistiendo. Apenas soy capaz de encontrar otro ejemplo en la Historia de tal fuerza de carácter, tal coraje y tal fe como esos de los que dieron prueba los pueblos que, víctimas de una opresión tan completamente inhumana, no sólo salvaguardaron, sino que profundizaron su cultura en tierras extrañas.

Un paralelo posible: los chtetle judíos de Transilvania y de Polonia, quienes, entre dos pogromos, dieron nacimiento a algunos de los más grandes músicos y escritores de la Historia. En la noche de Bahía, de Alagoas, de Perú, o en las orillas del Orinoco, el Mississippí y el Magdalena, las yawalorixás, las grandes sacerdotisas-reinas de los orixás yoruba, de los jejés fons, despliegan todavía en la actualidad sus misterios. Los buzios caen, se consulta el collar de Ifa. Los orixás hablan, los eguns regresan. Entre el Aye (la tierra) y el Orun (el cielo), la vida circula interminablemente.

Un hecho concreto explica el poder de la cultura de la diáspora africana en las Américas. Los amos blancos de las plantaciones, sus capataces, sus curas y sus guardias disponían en principio del cuerpo y de la vida de los esclavos negros. Pero, en esas plantaciones, los blancos no eran más que un puñado. La angustia, por eso, los atenazaba. El oscuro temor a la rebelión les producía escalofríos. La insurrección de sus bestias de carga era su pesadilla. Para conjurar el peligro, los propietarios recurrían a un método simple: fomentar las divisiones entre los pueblos deportados para enfrentarlos mejor unos contra otros. Por eso el dueño de una fábrica de azúcar compraba contingentes de esclavos procedentes de un país y una cultura específicos. En su plantación, alentaba la celebración de todos los ritos vinculados a esa tradición. Los calendarios litúrgicos de cada uno de los pueblos presentes en la *senzala*[6] se respetaban así escrupulosamente.

Es una paradoja con enormes consecuencias históricas: fue en la noche de la esclavitud donde se forjaron las más sólidas identidades africanas. Jamás, durante los siglos de la esclavitud, se extinguió el fuego de las creaciones culturales, artísticas y políticas de los africanos.

En la actualidad, un tercio de toda la población africana vive en la diáspora, fundamentalmente en las Américas. Más allá de los mares, la trata dio nacimiento a sociedades que, como las de los candomblés de Bahía, la santería cubana, el vudú haitiano, los cabildos de la costa del Pacífico de Colombia o los xangós de Jamaica o Venezuela, son hoy día verdaderos viveros de culturas, privilegiados lugares irradiantes de la identidad africana.

«Vivo en una guerra de trescientos años»,[7] escribió Aimé Césaire. Jamás, en el curso de los tres siglos de esclavitud, decayó la resistencia armada. Las insurrecciones de esclavos, que ritmaron los siglos XVII, XVIII y XIX, son otra poderosa razón por la cual la trata ocupa un lugar tan privilegiado en la reconstrucción memorial.

En el virreinato español de Nueva Granada, el de Perú, la Hispaniola,[8] el estado lusitano del Gran-Pará[9] o el virreinato portugués de Brasil,[10] se produjeron rebeliones de esclavos que pusieron en jaque al poder metropolitano mismo.

Actualmente, tres repúblicas «cimarrones» alimentan principalmente el imaginario de los africanos: las de Palenque en Colombia, Cockpit en Jamaica y Palmarés en Brasil.

El negro «cimarrón» es el hombre que se rebela contra la opresión o huye de un castigo. Rompe sus cadenas, se escapa de la plantación y lleva, en el interior del continente, o de sus islas, una vida autónoma como cazador o cultivador.[11] Ahora bien, en aquel continente americano tan escasamente poblado, no faltaban refugios: tupidos bosques, abruptas montañas, desfiladeros o profundos valles.

En Brasil, las comunidades paraestatales formadas por los «cimarrones» y sus familias se llamaban «Quilombo», y, en el imperio español, «Palenque».

En 1794, una asombrosa noticia llegó de París al Caribe: la esclavitud quedaba abolida, se proclamaba la igualdad de todos los hombres y los amos recalcitrantes serían guillotinados.

Pero, el 20 de mayo de 1802, Bonaparte restableció la esclavitud. Otro decreto, el del 5 de julio del mismo año, prohibía la entrada en Francia de cualquier hombre de color. Bonaparte creía que ya había demasiados «negros en la metrópolis», y que el aporte de esa sangre amenazaba transmitir a la sangre europea «el toque de color que se había extendido por España después de la invasión de los moros...».

En las islas, los negros, ciudadanos de la República, quedaron sobrecogidos de estupor y horror. Las autoridades francesas, en los territorios de ultramar, convocaron a los ciudadanos negros para volver a ponerles los grilletes y devolverlos a sus antiguos amos. Se organizaron gigantescas batidas en todas las islas. A la luz de las antorchas, los fugitivos capturados eran apaleados hasta la muerte, o mutilados. Muchos de ellos fueron despedazados por perros traídos expresamente desde Francia. La guillotina volvió a funcionar de nuevo en Fort-de-France y en Pointe-à-Pitre.

Pero, esta vez, no dedicó la mayor parte de su actividad a cortarles la cabeza a los *bekés*,[12] los «Grandes blancos» y los amos recalcitrantes, sino a rebanar el cuello de los «cimarrones» atrapados por los perros, y el de los hombres, mujeres y adolescentes negros que se habían atrevido a ofrecer resistencia a su captura.

Gran cantidad de antiguos revolucionarios cambiaron de chaqueta.

Así, por ejemplo, Billaud-Varenne, miembro de la Convención y del Comité de Salud Pública que surgió de ella, había sido uno de los promotores más enérgicos del decreto de abolición de 1794. Comisario en las colonias, mandó guillotinar a los plantadores recalcitrantes. En la Convención, había declarado: «La muerte es un llamamiento a la igualdad, que un pueblo libre debe consagrar mediante un acto público capaz de servirle sin cesar de necesaria advertencia».

Tras el 9 Thermidor, mientras Robespierre y Saint-Just eran ejecutados, Billaud-Varenne logró escapar al cadalso. Fue deportado a la Guyana. A su llegada allí, se lo confinó en el presidio de Sinnamary. El Consulado lo liberó.

Tras el restablecimiento de la esclavitud, compró una plantación en Orvilliers, en la costa de Guyana. Se procuró esclavos y se enriqueció enormemente.

Otro ejemplo de traición a sus propios ideales es el de Victor Hughes, también comisario de la Convención en las Antillas. Alejo Carpentier, en la novela *El Siglo de las Luces*, esbozó su retrato.[13]

En Puerto Príncipe, en Fort-de-France, en la isla de Marie-Galante, y en todas partes donde los plantadores se negaron a someterse a la Convención y a liberar a sus esclavos, Hughes los hizo detener, juzgar sumariamente y ejecutar. Una vez finiquitada la Revolución en Francia, se restauró la esclavitud en las colonias, y Hughes cambió de chaqueta.

Regresó a Guadalupe, pero esta vez para comprar tierras y esclavos. Murió en su lecho, como esclavista y plantador riquísimo, pero deshonrado por sus antiguos amigos y abandonado por la mujer a quien amaba.[14]

4

LAS MASACRES COLONIALES

Léon Bloy: «La historia de nuestras colonias, sobre todo en Extremo Oriente y en África, no es más que dolor, ferocidad desmedida e indecible infamia».[1]

El segundo «objeto privilegiado»[2] de la reconstrucción memorial de los pueblos del Sur es la conquista armada de sus tierras por parte de Occidente. Por razones de claridad y de economía de espacio, me limitaré aquí a recordar las campañas militares francesas. Pero no será necesario decir que la misma violencia y la misma crueldad presidieron también las conquistas inglesas, holandesas, alemanas, belgas, italianas, españolas y portuguesas.

En 1830, Francia comenzó la conquista de Argelia.

En 1853, se apoderó de Nueva Caledonia. Un año después, Faidherbe emprendió la conquista de Senegal. El establecimiento de Saint Louis fue adquirido tras el Congreso de Viena (1815). En 1857 tuvo lugar la fundación de Dakar. La campaña de Faidherbe fue larga y sangrienta: no concluyó hasta 1898.

En 1858, el ejército colonial francés ocupó Turana, en Annam; un año después, tomó Saigón.

En 1862, nuevo empuje en África, esta vez en las orillas del océano Índico: Francia tomó posesión de Obock, en Somalia (actualmente Yibuti).

1863: el gobierno de París, como consecuencia de un habilidoso chantaje, obtuvo la sumisión del rey de Camboya, que, mediante un tratado, reconocía «libremente» el protectorado francés. En 1867, el emperador Tu Duc, para preservar sus poblaciones, cedió a Francia la totalidad de la Cochinchina.

Así es como se desarrolló la conquista francesa de Annam, Tonkín y la Cochinchina. Cedo la palabra aquí a un testigo privilegiado, poco sospechoso de simpatías annamitas. Reportero mayor para el *Figaro*, oficial de marina en la escuadra del Extremo Oriente, Pierre Loti describió la toma de Hué: «Los franceses entraron por ambos lados simultáneamente en el gran fuerte circular que los obuses de la escuadra ya habían dejado repleto de muertos. Los últimos annamitas que allí quedaban refugiados escapaban, se precipitaban por las paredes, absolutamente enloquecidos; algunos se echaban a nadar, otros intentaban pasar el río en barcas o vadeando, para refugiarse en la orilla sur. Los franceses, que se habían encaramado a las murallas del fuerte, disparaban sobre ellos, de arriba abajo, casi a quemarropa, y los abatían en masa. Los que estaban en el agua intentaban cubrirse ingenuamente con las trenzas, escudos de mimbre y trozos de chapa; las balas francesas lo atravesaban todo. Los annamitas caían en grupos, con los brazos tendidos; trescientos o cuatrocientos de ellos fueron derribados en menos de cinco minutos por el fuego en ráfagas y las descargas simultáneas. Por compasión, los marinos dejaron de disparar, y permitieron huir al resto; esta noche tendrán bastantes cadáveres que despejar en el fuerte antes de acostarse».[3]

Cuando en París los ejércitos de Napoleón III capitularon ante Prusia, los esclavos se sublevaron en Argelia. Sidi Mokrani dirigía la insurrección. El cuerpo expedicionario la aplastó y llevó a cabo espantosas matanzas en las regiones sediciosas.

1873: Francis Garnier y sus tropas conquistaron el delta del Tonkín.

1878: gracias a la acción de Savorgnan de Brazza, el gobierno francés estableció un protectorado de hecho en Gabón. A finales de la misma década, hubo una nueva y violenta rebelión en Argelia; en esta ocasión, fueron los montañeses del Aurés quienes rechazaron el yugo francés. La represión fue despiadada, causando miles y miles de muertos, sobre todo entre niños y mujeres.

Octubre de 1880: en la orilla derecha del río Congo, el gobierno francés instauró un protectorado; se fundó Brazzaville frente a los rápidos del río.

De 1880 a 1895, Gallieni devastó extensos territorios de África occidental. Sus tropas conquistaron el Sudán francés (en la actualidad Malí), a pesar de la resistencia encarnizada de Samory Touré y numerosos jefes autóctonos.

1881: nueva insurrección en Argelia, que era «parte integrante» de Francia. El Sur de Orán se sublevó totalmente. Bou-Hamma dirigía a los insurgentes argelinos. Se enfrentó con ardor al general De Négrier, de nombre tan idóneo. Bou-Hamma y los suyos fueron derrotados. Siguieron las habituales ejecuciones colectivas y castigos de todo tipo. En la misma época, los colonizadores intentaron una avanzadilla hacia el sur, en dirección hacia las inmensidades desérticas del Sahara. Los nómadas mataron al capitán Flatters y a sus acompañantes.

Marzo del mismo año: procedentes de Túnez, otros guerreros, los kroumirs, atravesaron la frontera argelina. El ejército francés organizó una expedición punitiva en Túnez. El 12 de mayo, el gobierno francés impuso al bey de Túnez la firma del tratado del Bardo, que creaba el protectorado francés en Túnez.

Septiembre de 1881: crisis en las tierras coloniales de Extremo Oriente. Los annamitas se rebelaron contra el terror colonial, el impuesto de captación y la expropiación de las tierras. El nuevo cuerpo expedicionario necesitó dos años para aplastar a los patriotas annamitas y transformar su país en tierra quemada.

1882: Francia se anexionó las antiguas ciudades y las tierras de Mzab, a seiscientos kilómetros al sur de Argel. A finales de abril del mismo año, una asombrosa noticia llegó a París: el comandante Henri Rivière y sus tropas habían conseguido apoderarse de Hanoi. La prensa se entusiasmó. Pero, ¡horror!: los tonkineses, guiados por los jefes de una sociedad secreta, los «Pabellones Negros», se atrevieron pronto a contraatacar.

El 19 de mayo, el valeroso comandante Rivière fue hecho prisionero y decapitado. El gobierno francés reaccionó con el envío masivo de tropas que provocaron una carnicería entre la población civil.

Nombres, que Occidente ha olvidado ya hace tiempo, persiguen la memoria de los magrebíes y los habitantes del África negra: Bugeaud, Gérard, Gallieni, Voulet, Chanoine, etc.

El general Thomas Robert Bugeaud había sido gobernador general de Argelia a partir de 1840. Fue el inventor de las «Enfumadas». Esta nueva técnica le confirió un gran prestigio en París. En Argelia, su nombre es sinónimo de pesadilla.

La técnica consistía en encerrar a la población de pueblos enteros en unas grutas ante las cuales se prendía fuego. Mientras que los soldados comían contemplando las llamas, los aullidos de las mujeres y los niños prisioneros de la fogata se elevaban desde el interior de la gruta. Cuando el último estertor del último agonizante se había apagado, los soldados tapiaban la entrada de la gruta.

Por su parte, Gallieni y Gérard conquistaron el reino de Madagascar, situado en el océano Índico. Dirigieron sus campañas militares con una brutalidad absolutamente ejemplar.

En su famoso discurso pronunciado ante la UNESCO en 1971, Claude Lévi-Strauss definió así el racismo: «Una doctrina que pretende ver en los caracteres intelectuales y morales atribuidos a un conjunto de individuos, de cualquier forma que se los defina, el efecto necesario de un común patrimonio genético».[4]

El racismo, según esta definición, es la esencia misma del colonialismo. Niega la humanidad del colonizado. Excluye de antemano cualquier relación de reciprocidad y de complementariedad con el colono. Pero el racismo no sólo destruye al colonizado. Arrasa también al colono. Immanuel Kant dice: «La inhumanidad infligida a otro destruye la humanidad en mí».[5]

Ahora bien, sin racismo, no habría conquista colonial. Someter a su yugo a un ser humano presupone la negación de su humanidad. En efecto, si el amo (el conquistador) percibiera como su semejante y su igual a aquel o a aquella a quienes esclaviza, no podría ni justificar, ni siquiera soportar mentalmente, su crimen.

Por eso colonialismo y enfermedad mental van unidos. El curioso destino del capitán Voulet es una ilustración de mis palabras.

En París, una mañana de mayo de 1898, el ministro de las Colonias, André Lebon, convocó en su despacho al capitán de infantería de marina Voulet y al teniente de los cipayos Chanoine. Y les confió la siguiente misión: «Visitar todos los países situados entre el Sudán francés y el lago Chad, al norte de la línea Say-Barrua, y entrar en relación con los jefes de los principales países del Sudán central».[6]

El proyecto tenía la mayor importancia, ya que se trataba de alcanzar, antes de que lo hicieran las columnas inglesas, las orillas del lago Chad, para establecer un puente territorial entre las posesiones francesas del Magreb y los territorios ocupados por Francia en Níger, Dahomey y el Congo. También se necesitaba sofocar, antes de que se extendiera por la región, la rebelión fomentada en Chad por la secta de los senusis (cuyo jefe residía en Trípoli) contra la presencia de «infieles» en Sudán (actual Malí). Finalmente, se trataba de recortar las pretensiones del gobierno imperial alemán, que desde su colonia de Camerún, enviaba columnas en dirección al Ubangui-Chari. Inmensos territorios en el corazón de África estaban todavía por tomar.

Voulet, que apenas tenía treinta y dos años en 1898, era un joven burgués, hijo de médico, poseído por el frenesí de conquista propio de su clase y de su época. Era un hombre inteligente aunque brutal.

Desde el comienzo, su expedición chocó con terribles dificultades, en primer lugar en materia de abastecimiento. Cada día, su columna (compuesta por varios cientos de soldados y otros tantos porteadores), para subsistir, necesitaba dos toneladas de mijo, cientos de litros de agua y una decena de bueyes. Pero los países que atravesaban eran pobres y estaban exangües. Una terrible sequía causaba estragos en la región del norte del Sokoto desde hacía dos años. Voulet, Chanoine y sus soldados exigieron sin embargo a las poblaciones que encontraron que les entregaran sus provisiones. Los campesinos, pastores y nómadas, medio muertos de hambre, con frecuencia se negaron a hacerlo. Entonces fueron torturados y asesinados; sus casas y sus tiendas quemadas, sus mujeres violadas y sus hijos mutilados.

A veces, con el valor de la desesperación, los lugareños intentaron ofrecer resistencia al pillaje. En un informe, Voulet escribe: «Los tres pueblos de Ouelé, Bore y Gassam que, a lo largo de esta marcha en territorio samo, nos atacaron, fueron enteramente destruidos y arrasados».[7]

A comienzos de mayo de 1899, la población de la ciudad de Birni N'Konni, al borde de la hambruna, se negó a entregar sus provisiones y ocultó sus escasas reservas de mijo. Un informe, llegado a París, cuenta lo siguiente: «Hubo que ocuparse de enterrar todos los cadáveres que, bajo la influencia de una temperatura muy elevada, se descomponían inmediatamente. [...] Los cadáveres fueron arrojados en grandes fosas, el pueblo fue a continuación sistemáticamente destruido, por orden de Voulet».[8]

El comandante segundo de la expedición, el teniente Chanoine, compañero coetáneo de Voulet, compartió los métodos de su jefe: a sus órdenes, los tiradores senegaleses arrancaban sistemáticamente las plantas de mijo y quemaban las cosechas de las aldeas por las que cruzaban y que se consideraban poco seguras.

Chanoine escribió a su padre, que era general y ministro de Defensa, lo siguiente: «¡Basta de diplomacia y de conciliación con estos bárbaros que sólo entienden el lenguaje de la fuerza! [...] No hay que titubear en imponerles cargas a los habitantes, en forzarlos, en definitiva, a trabajar».[9]

Voulet y los suyos mataron con la bayoneta y la lanza, incendiaron y saquearon. Su ruta estuvo jalonada por montones de cadáveres.

El ministro André Lebon se propuso retirar a Voulet y sustituirlo por un coronel alsaciano de nombre Klobb. Pero Voulet se negó a ceder su mando, mató a Klobb e hizo disparar sobre su escolta.

Con el coronel muerto a sus pies y los heridos gimiendo entre las raíces gigantescas de un baobab, Voulet reunió a sus hombres. Con los ojos brillantes, el uniforme cuidadosamente ajustado y el sable desenvainado, les lanzó este discurso: «Ahora soy un fuera de la ley. Reniego de mi familia y de mi país. Ya no soy francés. Soy un jefe negro. [...] Vamos a crear un imperio fuerte, inexpugnable. Lo rodearé por una extensa broza sin agua [...]. Para capturarme, necesitarían diez mil hombres. Si estuviera en París, hoy día sería el amo de Francia».[10]

El jefe tan admirado, al que habían obedecido al dedillo y sin rechistar ante el crimen, sembró la disconformidad entre los oficiales y suboficiales blancos que lo observaban. Preocupados por su carrera, dudaban en comprometerse en la construcción de ese imperio «rodeado por una extensa broza sin agua».

Por su parte, los tiradores senegaleses se amotinaron y se negaron todos, con apenas seis excepciones, a obedecer a Voulet. Cientos de porteadores se desperdigaron y desaparecieron en la sabana. Voulet se quedó solo con seis acompañantes y se hizo necesario que levantara pronto el campamento y prosiguiera, sin provisiones, con muy poca agua, su marcha obstinada hacia el lago Chad.

El 17 de julio de 1899, de madrugada, un centinela de los tiradores senegaleses apostado cerca de la aldea de Maygiri vio salir de la bruma a un hombre en andrajos y titubeante; los harapos de un uniforme de oficial francés colgaban de su cuerpo descarnado. El africano reconoció a Voulet y lo mató.

Se comprende fácilmente el lugar que ocupa Voulet en la memoria africana. Encarna, en efecto, y de una forma paradigmática, toda la crueldad, el cinismo y la dimensión patológica ligada a la conquista colonial.

POST-SCRIPTUM

Sin entrar demasiado en los detalles, señalemos sin embargo que los ingleses desarrollaron métodos originales para exterminar a las poblaciones autóctonas recalcitrantes. Tomemos el ejemplo de Tasmania.

Tasmania es una isla de cerca de 70.000 km² que pertenece al continente australiano. Está situada en el estrecho de Bass, que separa el océano Índico del Pacífico. Propiedad de la corona británica desde finales del siglo XVIII, esta isla de tierra fértil y clima templado atraía a numerosos colonos blancos. Pero un problema obstaculizaba su plena expansión: los palawah, ganaderos seminómadas, cultivadores, pescadores y cazadores. Estos últimos habitaban la isla desde hacía dos milenios. Pueblo misterioso y sin relación aparente con ninguna etnia conocida (melanesia u otra), sus miembros eran de gran tamaño y esbeltos, y se movían con elegancia. Tenían la tez cobriza y sus rasgos eran finos. Las mujeres poseían una belleza deslumbrante.

Para expulsarlos de sus residencias, los ingleses utilizaron primeramente los métodos que solían utilizar en Australia: quemaron las aldeas, envenenaron las fuentes de agua y los pozos, y organizaron batidas.

Este método ya había dado resultados convincentes, especialmente en Queensland, otro territorio fértil del continente. Aterrorizados, los supervivientes kalkadoon habían huido para refugiarse en las altas mesetas áridas de la cordillera marítima.

Pero con los palawah no había nada que hacer. Ya podían los soldados ingleses incendiar sus aldeas, matar a las familias, destruir las cosechas y los campos, y envenenar los pozos, que los guerreros palawah volvían sin cesar para atacar a los colonos atrincherados tras sus empalizadas. Pertrechados con sus arcos y sus espadas.

Desde finales de la década de 1820, el teniente gobernador George Arthur[11] reinaba en Tasmania. Era originario de Sussex y un apasionado de la caza de montería.[12] Como es sabido, en la caza de montería, los cazadores se disponen en una larga línea llamada *Black Line*. Precedidos por perros, encargados de hacer salir la caza de sus escondites, avanzan concertadamente a caballo o a pie, y tiran al blanco sobre todo lo que se mueve entre los matorrales.

George Arthur decidió organizar una *Black Line* para limpiar Tasmania de palawah.

Su decreto movilizó a «todos los hombres blancos capaces de llevar un arma». Fue así como miles de colonos se unieron a los soldados. Pero Tasmania acogía también importantes colonias penitenciarias donde estaban desterrados condenados de todo el Imperio. Pues bien, se liberó a los detenidos blancos para que se sumaran a la *Black Line*.

La «línea» se organizó según las reglas del arte: se mandaba avanzar a paso regular a varios miles de cazadores, y cada sección estaba bajo el mando de un maestro de caza. Cientos de cuernos dieron pronto la señal de partida; por delante de la «línea», cientos de perros adiestrados se precipitaron en la llanura.

La *Black Line* de Arthur se estiraba a lo largo de 120 kilómetros. Y se desplazó durante seis semanas. Todo estaba perfectamente planificado.

George Arthur se sintió muy orgulloso de su *Black Line*. El historiador australiano Nick Beams,[13] que examinó los informes dirigidos al Colonial Office y conservados en los archivos británicos, aportó la prueba.

El argumento de Arthur era astuto. Las tierras de los colonos retomadas a los palawah eran *settled areas*, explicaba, 'lugares de residencia civilizada'. Los palawah, por su parte, no eran más que *black savages*, 'salvajes negros', que invadían periódicamente las tierras de la civilización. Había entonces que expulsarlos. ¿Cómo hacerlo? Simplemente llevando a cabo 'una guerra de exterminio', *a war of extirpation*.

El exterminio de los palawah era 'una necesidad absoluta', *an absolute and inescapable necessity*.

Tras las *black wars* emprendidas por George Arthur, no sobrevivió en Tasmania más que un puñado de palawah.

Por sus servicios como genocida, George Arthur fue elevado a la nobleza por la reina Victoria. En adelante, lució orgullosamente el título de sir.

En cuanto a James Stephen, desempeñó las nobles funciones de subsecretario de Estado en el Colonial Office, de 1836 a 1847. Escribió: «*Tasmania has very few aborigines or preserved native culture of note*» ('Tasmania tiene muy pocos aborígenes o huellas significativas de cultura autóctona'). Pero James Stephen era un funcionario particularmente concienzudo: ninguna huella de cualquier cultura autóctona debería subsistir en Tasmania, ya que amenazaba con obstaculizar la implantación y la extensión de la civilización blanca.

El subsecretario tomó entonces medidas drásticas. Cualquier niño nacido de una familia autóctona —de cualquiera que fuese la región o etnia de Australia— sería apartado de su familia. La policía recibió inmediatamente la orden de secuestrar, a la fuerza si fuera necesario, a cualquier niño autóctono que superara la edad de tres años (tiempo máximo de crianza concedido a la madre). Arrancado a su familia, el niño recibiría una nueva identidad, un nuevo nombre. Y a continuación sería entregado a un orfelinato o a un reformatorio del Estado.

Todo contacto con su madre, su padre o cualquier otro miembro de su familia le sería prohibido de por vida.

Muchos de estos niños secuestrados por la policía fueron castrados o esterilizados. En los reformatorios y orfelinatos, la violación y los castigos mutilantes de niños autóctonos eran habituales.

Esta política del rapto de niños autóctonos no se abolió hasta 1969.[14]

Pero el Colonial Office había emprendido la erradicación de las culturas autóctonas en todo el Imperio.

Fue así como James Stephen extendió a Canadá la política del rapto que tan buenos resultados había dado en Australia. Hasta la década de 1960, los niños nacidos en Canadá en una de las comunidades indias, salvadas del genocidio, fueron arrancados a sus familias. Estos niños mártires desaparecieron y fueron con frecuencia encerrados en conventos e instituciones católicos. Stephen Harper, primer ministro de Canadá, presentó el 10 de junio de 2008 las excusas de su país a los pueblos autóctonos «por las sevicias padecidas en los pensionados canadienses durante un siglo». Escuchemos a Harper: «Desde finales del siglo XIX, y hasta 1969, cerca de 150.000 niños autóctonos fueron arrebatados a sus padres y conducidos a orfelinatos religiosos donde padecieron agresiones sexuales y psicológicas».[15]

Siempre y en todas partes, la obsesión de los occidentales fue la destrucción de la cultura, la identidad singular, la memoria y los lazos afectivos del dominado.

5

DURBAN, O CUANDO EL ODIO A OCCIDENTE OBSTACULIZA EL DIÁLOGO

En la actualidad, las memorias de los pueblos del Sur están en guerra abierta contra Occidente. Las memorias de los naturales de América Latina y del Caribe, del África negra, de Arabia y de Asia son memorias heridas.

Occidente, al contrario, da muestras de una memoria triunfante, arrogante e impermeable a la duda.

Dos dirigentes de una excepcional lucidez comprendieron el peligro que envolvía esta «guerra de las memorias», Mary Robinson y Kofi Annan. Ambos tomaron conciencia de que el odio, aunque fuera razonado, a Occidente por parte de los pueblos del Sur destruía lentamente la comunidad internacional, arruinaba toda esperanza de ver a las Naciones Unidas ocupar finalmente el lugar que le correspondía en la escena internacional y volvía imposible la solución de prácticamente todos los problemas comunes a la humanidad: la carrera de armamentos, la amenaza nuclear, el hambre, el sida, la falta de agua, la desertificación progresiva, las guerras regionales endémicas y la monopolización de la mayoría de los recursos por parte de unas pocas oligarquías que escapan a todo tipo de control.

Sin embargo, es difícil imaginar a dos personalidades más distintas. Caluroso, intuitivo y discreto, Kofi Annan procede de una familia de jefes del pueblo de los fante, en la alta selva ashanti del centro de Ghana. Gran burguesa rígida en sus principios, obstinada hasta el extremo, Mary Robinson fue presidenta de Irlanda de 1990 a 1997.

En 2001, Kofi Annan era secretario general de las Naciones Unidas, y Mary Robinson, alto comisario de los Derechos Humanos. Juntos, convocaron para los meses de agosto y septiembre de 2001, en Sudáfrica, en Durban, la famosa conferencia mundial contra el racismo.[1]

La conferencia se desarrolló en dos tiempos. Del 28 agosto al 2 de septiembre se reunieron los representantes de más de tres mil organizaciones y movimientos no gubernamentales procedentes de los cinco continentes. En cuanto a los jefes de Estado y de gobierno, se reunieron para debatir del 31 de agosto al 7 de septiembre.

Se eligió Durban porque se trata de una ciudad de tamaño medio, capaz por consiguiente de favorecer los contactos humanos fuera de las salas de conferencia. Por otra parte, se encuentra situada a orillas del océano Índico, al pie de las montañas de Kwa-Zulu, el clima allí es suave y su población cosmopolita: una mezcla de indios, tamiles, chinos, afrikaanders, xosa, zulúes, makondés (de Mozambique), etc.

Un viento ligero agita permanentemente las espléndidas palmeras del paseo marítimo. A un centenar de metros de las playas, redes de acero están sumergidas en el mar. Se supone que protegen a los bañistas contra los tiburones blancos que merodean a lo lejos. Protección poco eficaz ya que, durante mi estancia de una semana, frente a la playa central, dos nadadores perdieron uno un brazo y el otro una pierna...

¿Para qué debía servir esta conferencia? En su discurso de inauguración, Kofi Annan respondió a la pregunta: «Por mediación de sus descendientes, los muertos reclaman que se haga justicia [...]. El dolor y la cólera todavía están presentes. La comunidad internacional debe dar respuesta a las expectativas de todo el mundo».[2] Se trataba, siguió explicando, de desterrar la violencia nacida de los «demonios identitarios».

En cuanto a Mary Robinson, fijaba así el horizonte de los trabajos de la conferencia: «Es la primera vez que se afirma una voluntad común de escribir la historia sobre temas difíciles. En algunos países, se considera el colonialismo como un periodo glorioso. En otros, es sinónimo de devastación. Durban no puede ser más que un punto de partida que aspire a unificar estas visiones».[3]

Durante más de tres años, por todas partes en el mundo, decenas de miles de representantes de los movimientos sociales, comunidades religiosas, sindicatos y Estados habían estado preparando, en el marco de conferencias nacionales, luego regionales y, finalmente, continentales, el encuentro de Durban. En su discurso inaugural, Kofi Annan se refirió a ello:[4] «Más que acusar a un país o a una región en concreto, decidamos que, al abandonar Durban, cada uno de nosotros se comprometerá a elaborar y a llevar a la práctica su propio programa nacional de lucha contra el racismo, conforme a los principios generales que hayamos fijado de común acuerdo [...].

»Durante meses y semanas, nuestros representantes trabajaron sin interrupción para lograr un acuerdo sobre estos principios».

Pero ya, en lo más profundo de la utopía, apuntaba el temor al fracaso: «[...] Esta conferencia va a poner a prueba a la comunidad internacional; dirá si la comunidad internacional está dispuesta a unirse para defender una causa que afecta tan profundamente a las condiciones de la gente en su vida cotidiana. [...]

»Si nos vamos de Durban sin haber llegado a un acuerdo, eso servirá de estímulo a los elementos más viles de nuestras sociedades. [...]

»¡Basta de disputas! Dejemos nuestras discrepancias a nuestras espaldas y hagámonos eco del eslogan que prorrumpió por todas partes en este país, durante las elecciones de 1994, al final del largo combate contra el apartheid: ¡*Sekunjalo*! ¡Ha llegado el momento!».[5]

Tanto la conferencia de los movimientos sociales como la de los jefes de Estado y de gobierno habrían de naufragar en el desastre.

Durban fue un fracaso total.

El odio a Occidente estalló desde el primer día.

En nombre de la coalición de las ONG africanas, Aloune Tine pasó al ataque: «Exigimos que la esclavitud y el colonialismo sean reconocidos como un doble holocausto y un crimen contra la humanidad. Exigimos reparación por parte de Occidente por el pillaje de materias primas, el desplazamiento forzoso de poblaciones, los tratos inhumanos y la pobreza actual de África, fruto de esta historia de crímenes y de expolios».[6]

El proyecto de resolución presentado desde el primer día de la conferencia no gubernamental estipulaba: «Afirmamos que el comercio transatlántico de esclavos y la esclavización de africanos y sus descendientes son un crimen contra la humanidad, así como una tragedia única en la historia de la humanidad, y que las raíces de este crimen fueron económicas, institucionales, sistémicas y transnacionales, por las dimensiones que adoptaron. Las compensaciones financieras servirán para indemnizar a los descendientes de las víctimas, especialmente africanas, colmando el foso económico creado por tales crímenes».[7]

Al hacer que esta primera conferencia precediera el encuentro de los jefes de Estado y de gobierno, los dos principales organizadores de Durban, Mary Robinson y Kofi Annan, habían tenido sin embargo una buena idea.

La ONU es, efectivamente, una organización intergubernamental compuesta por ciento noventa y dos Estados soberanos. Es en el seno de las conferencias interestatales donde ocurren los hechos trascendentes y donde se toman las decisiones importantes. En su espíritu, al ser conscientes del odio suscitado por Occidente, la conferencia de la sociedad civil planetaria tenía que desempeñar el papel de válvula de seguridad y permitir que los representantes de los sindicatos, las ligas campesinas, las comunidades religiosas, etc., se desahogaran de alguna manera para rebajar la presión antes de que se abriera la conferencia intergubernamental.

¡Un error de cálculo!

Y es que, en Durban, el estado de ánimo de los miles de representantes de los movimientos sociales estaba perfectamente en sintonía con el de la grandísima mayoría de dirigentes de los Estados del Sur.

Fueron incluso los más eminentes, entre los presidentes de las Repúblicas del Sur, quienes tuvieron las palabras más duras hacia Occidente.

Abdelaziz Buteflika invocó así «la filiación abominable» de todos los sistemas de opresión y de explotación sucesivos que, a lo largo de los siglos, Occidente impuso a los pueblos del Sur. Invocó también a Frantz Fanon y *Les Damnés de la terre* ['Los condenados de la tierra']: «El deber de la memoria es fundamental, porque el pasado nos abruma, porque nos sigue marcando cruelmente con sus estigmas y porque es importante pasar lo más rápidamente posible esas páginas dolorosas que desdichadamente no podemos arrancar. Memoria, también, para confirmar nuestro rechazo absoluto y definitivo de las prácticas abyectas y de todas esas ideas que deshonraron a la humanidad. Memoria, finalmente, para desalentar, en el futuro, cualquier tentativa de reanimación de la bestia inmunda que podría seguir dormitando en el inconsciente de los hombres. [...] Para exorcizar el pasado y hacer justicia en el presente, es necesario evaluar en sus perjuicios inmediatos y sus efectos duraderos lo que han padecido unos e infligido los otros, sin ceder a la tentación del rencor, ni a las simplificaciones perentorias de la confrontación».

Buteflika apelaba a la justicia reparadora: «[...] Ellas [las víctimas] nos invitan al recogimiento y a la deferencia: todas esas víctimas son, para la conciencia humana, los recordatorios permanentes de esas desviaciones a través de las cuales unos hombres intentaron despersonalizar y cosificar a otros hombres, condenando al oprobio la inteligencia humana [...]. Justicia, pues, para esos condenados de la tierra de los que Frantz Fanon, descendiente antillano de esclavos africanos, se volvió testigo de cargo y analista en aquella Argelia colonizada en lucha por su liberación, que se acabaría convirtiendo en su patria definitiva».

Y Buteflika concluyó así: «Debe llegar el tiempo de la reparación de las injusticias del pasado y, con él, el de la corrección de las disfunciones y los desequilibrios de un sistema de relaciones que aboca implacablemente a los más poderosos a la posesión todavía de mayor riqueza y a los más débiles a un infortunio sin fin».

Prácticamente todos los demás jefes de Estado del Sur —aunque, a menudo, con un talento menor— formularon las mismas exigencias que Buteflika: justicia reparadora, arrepentimiento de Occidente y reconocimiento de la memoria herida de los pueblos del Sur.

Tras escuchar el discurso de Buteflika, las reacciones occidentales fueron francamente socarronas. En las delegaciones francesa, belga, británica, etc., prorrumpían los sarcasmos.

Aquello apestaba a desprecio colonial.

¿Justicia reparadora? ¡Una exigencia absurda nacida de rencores personales!

¿Petición de arrepentimiento? Una fanfarria destinada a desviar la atención de una población argelina descontenta con su propia suerte hacia enemigos occidentales satanizados.

¿Trabajo de la memoria? Un discurso culpabilizador, o peor: un chantaje que pretende arrancar a Occidente concesiones financieras y comerciales.

Con Nelson Mandela y Fidel Castro, Abdelaziz Buteflika es actualmente uno de los hombres de Estado más escuchados por los pueblos del Sur. Los sarcasmos y el desdén con los cuales las delegaciones occidentales acogieron su discurso, independientemente de lo que se piense acerca de su política interior en Argelia, ilustran la ceguera y el desprecio de Occidente hacia las reivindicaciones del Sur.

En ese momento, la esperanza de Mary Robinson de conseguir la instauración de un diálogo fraternal entre memorias colectivas opuestas se desvaneció de golpe. La utopía de Kofi Annan, esa unificación gradual de las visiones antagonistas del mundo, se vino abajo.

En Durban, llovieron insultos y reproches de una parte y de la otra desde la mañana hasta la noche. Los delegados abandonaban la sala dando un portazo, regresaban, vociferaban y volvían a marcharse.

Por lo que respecta a los representantes del gobierno de Washington, abandonaron Durban al cabo de cuarenta y ocho horas. Los representantes de los Estados de la Unión Europea se contuvieron *in extremis*, después de que Nelson Mandela hubiera llamado personalmente a varios comisarios en Bruselas. Pero los jefes de gobierno y los ministros de los Estados de la Unión Europea rechazaron cualquier idea de compensación financiera y ni tan siquiera de pedir excusas.

El presidente de Haití, Bertrand Aristide, solicitó a Francia la devolución de los 150 millones de francos-oro que Haití había tenido que pagar en 1823 para indemnizar a los antiguos propietarios de esclavos. Francia se negó. En 2004, Aristide fue derrocado por un golpe de Estado.

Durban demostró la profundidad y la gravedad de las heridas de los pueblos del Sur. La conferencia reveló la intensidad de su odio hacia Occidente.[8]

En el Talmud de Babilonia se puede leer esta frase misteriosa: «El futuro tiene un largo pasado». En un tono cercano a la desesperación, Abdulaye Wade, presidente de Senegal, imploró la comprensión de Occidente: «Lo que queremos es que la humanidad comprenda que en un momento determinado de su evolución se nos causó un perjuicio incalculable, que se cometió con nosotros una gran injusticia. Lo que queremos es que las generaciones actuales y futuras comprendan esto. A este efecto, pienso que los países desarrollados, y más generalmente la comunidad internacional, deberían hacer figurar la esclavitud y la trata en los programas escolares de los niños, en los cursos universitarios y los programas de investigación. Se deberían erigir estelas y monumentos, y realizar películas para restablecer la historia en toda su autenticidad. Los archivos, y digo bien todos los archivos, deberían ser accesibles a los investigadores en todos los países del mundo».

¡Es de esperar que Wade no ponga nunca los pies en Burdeos! En esta ciudad, en efecto, son cuantiosas las avenidas, calles, plazas y monumentos dedicados a los esclavistas —armadores o capitanes negreros— de los siglos XVII y XVIII: calle Pierre-Baour, plaza Johnson-Guillaume, impasse Letellier, calle David-Gradis, plaza John-Lewis-Brown, calle Pierre-Desse, calle François Bonafé, etc.

François Bonafé fue socio de la firma negrera Romberg y Bapst. Vivió entre 1723 y 1809. A lo largo de la segunda mitad del siglo XVIII, fue uno de los armadores y de los traficantes de esclavos más poderosos del reino.

William Johnston (1699-1772) era un joven irlandés sin recursos, que vino a Burdeos para aprender el «negocio». Se convirtió en el gran maestre de la logia masónica «L'Amitié». Gracias a su asociación con los hermanos Germé, adquirió una fortuna colosal, al organizar especialmente entre otras cosas dos expediciones negreras particularmente provechosas de 1741 a 1743.

Jacques Letellier, alcalde de Burdeos entre 1801 y 1805, era el descendiente de una familia que debía su fortuna (enorme) a las expediciones de 1788, 1789 y 1791. Era uno de los armadores más poderosos de Europa. La expresión técnica para describir su actividad —y la de sus pares— era «armar en trata»: los navíos partían con soldados a bordo, futuros cazadores de africanos, en dirección a Benin, Christiansborg (en Ghana) o la desembocadura del Congo. A continuación, los capitanes hacían la «campaña», embarcaban la carga humana y la vendían en los mercados de La Habana, Nueva Orleáns o

Salvador de Bahía. Para el viaje de regreso, cargaban azúcar, metales preciosos y, más tarde, café.[9]

Pierre Baour, descendiente de una poderosa familia de traficantes protestantes, controló durante decenios la trata en Santo Domingo. En sus almacenes, en Puerto Príncipe, se vendían miles de hombres, niños y mujeres africanos deportados.[10]

¿Cómo explicar los honores concedidos por los bordeleses a los asesinos de la trata? Una cosa es cierta: la actitud de los bordeleses, en la actualidad, ilustra de una manera paradigmática la ceguera de Occidente frente a sus propios asesinatos en masa.

Para los dos promotores de la conferencia antirracista de Durban, el desastre tuvo consecuencias personales particularmente nefastas.

Bajo presión de Estados Unidos y Gran Bretaña, Mary Robinson perdió su puesto de alto comisario en 2002.

También Kofi Annan tuvo que padecer ataques virulentos con motivo de su pretendida complicidad con las reivindicaciones «inadmisibles» de Durban. Consiguió llegar al final de su mandato,[11] pero no pudo llevar a buen puerto la reforma de las estructuras de la ONU que tenía en mente.

Una última tentativa de recuperación de la catastrófica conferencia de Durban se llevó a cabo en 2007. La ONU creó un *Durban Review Committee*, encargado de reanudar el diálogo entre los Estados occidentales y los Estados del Sur. El embajador de Chile, Juan Martabit, diplomático de probada competencia, dotado de un temperamento apacible y una paciencia infinita, fue nombrado presidente de este comité. Pero después de tres sesiones celebradas en el Palacio de las Naciones de Ginebra, al borde de un ataque de nervios, Martabit dimitió.

El odio a Occidente había vencido en toda línea.[12]

La lucidez de Mary Robinson y de Kofi Annan, la exactitud de su intuición inicial, fue confirmada menos de una semana después de la clausura de la conferencia de Durban por los atentados del 11 de septiembre de 2001.

6

SARKOZY EN ÁFRICA

En julio de 2007, el presidente francés Nicolas Sarkozy hizo su primer viaje oficial al África negra, a Dakar. Desde el enorme anfiteatro de la Universidad Cheikh-Anta-Diop, se dirigió a la juventud del continente.

En la península de Cabo Verde, era la temporada de lluvias. El aire era fresco, el viento alborotado. A pesar de este clima, el anfiteatro estaba sobrecalentado. Cientos de estudiantes procedentes de todos los países de África del Oeste habían acampado allí, obstruían las escaleras, atestaban los pasillos. Los bubús —amarillos, rojos, blancos— de las jóvenes hacían estallar flores entre la multitud. En las primeras filas de los bancos de madera, los ministros, diplomáticos y notables tradicionales sudaban la gota gorda. El aire era irrespirable. Las luces violentas instaladas por los luminotécnicos de las cadenas de televisión aumentaban la temperatura.

Perdidos entre la multitud, los guardias del cuerpo francés estaban desesperados.

Sarkozy arrancó con audacia: «Jóvenes de África, no he venido aquí a hablaros de arrepentimiento».[1]

Luego se lanzó a una larga evocación destinada a rehabilitar a los colonos: «Había entre ellos [los colonos] hombres malos, pero también había hombres de buena voluntad, hombres que creían desempeñar una misión civilizadora, hombres que creían hacer el bien. Se equivocaban, pero algunos eran sinceros. Creían estar rompiendo las cadenas del oscurantismo, la superstición y la servidumbre. [...] Creían estar dando amor sin darse cuenta de que sembraban la rebelión y el odio. [...] La colonización fue una falta pagada con la aflicción y el sufrimiento de aquellos que habían creído darlo todo y que no comprendían por qué se les guardaba tanto resentimiento».

¿Y el sufrimiento de los africanos? ¿Lo ignoraba Sarkozy? No. Lo reconoce, aunque se niega a atribuirlo a la acción de los colonos: «Ese sufrimiento del hombre negro, no hablo del hombre en sentido sexual, hablo del hombre en el sentido de ser humano y, naturalmente, de la mujer y el hombre en su acepción genérica. Ese sufrimiento del hombre negro es el sufrimiento de todos los hombres».

La estupefacción se apoderó de la sala. Los oyentes —incluidos los blancos— no daban crédito a sus oídos.

¿La cautividad de los esclavos? ¿El martirio del hambre? ¿Las mujeres y los niños masacrados por la Legión Extran-jera en los pueblos conquistados? Todo eso atañe, en el fondo, a la condición humana. ¡No vale la pena hacer de eso un drama!

¿Y las carnicerías, los expolios y las destrucciones ligadas a la colonización? ¿Los trabajos forzados y las manos cortadas de los recolectores de caucho o de algodón que no llenaban el cupo fijado por el capataz? ¡Una simple «falta», según Sarkozy!

¿La esclavitud? ¿Las matanzas coloniales? El «destino común», desde luego doloroso, de los africanos y los europeos. Verdugos y víctimas, ¡un mismo sufrimiento! Y precisamente porque este destino doloroso es «común», los verdugos no tienen ningún motivo para hacer una petición pública de perdón.

¿Ignorancia? ¿Cálculo político?

La visión que tiene Nicolas Sarkozy del hombre africano es peculiar. En esta perspectiva, el africano es un ser sometido únicamente a las leyes de la naturaleza, encadenado a una eterna repetición, un Sísifo agotado, privado de futuro.

El africano vive casi fuera de la Historia. La noción de progreso le es extraña. ¿Un destino singular? Está incluso desprovisto de destino.

Escuchémosle: «El drama de África consiste en que el hombre africano no ha entrado suficientemente en la historia. El campesino africano, que, desde hace milenios, vive al ritmo de las estaciones, cuyo ideal de vida consiste en estar en armonía con la naturaleza, sólo conoce el eterno comenzar del tiempo ritmado por la repetición sin fin de los mismos gestos y las mismas palabras. [...] En este imaginario donde todo vuelve siempre a empezar de nuevo, no hay lugar ni para la aventura humana, ni para la idea de progreso. [...] El hombre [africano] nunca se proyecta hacia el futuro. Nunca se le ocurre escapar a la repetición para inventarse un destino. [...] El problema de África, y permitid que lo diga un amigo de África, está ahí. El desafío de África consiste en entrar más en la Historia».

Pero ¿cómo hacer para entrar «más en la Historia»? Es sencillo. Basta con someterse a Occidente.

Occidente es el amo. Su civilización tiene vocación de propagarse sobre todo el planeta. Los africanos, en particular, deberían tomar nota de ello. Desde tal punto de vista, tuvieron la suerte de haber sido colonizados. La colonización fue, de acuerdo, una «falta». Pero una falta benéfica. «Nadie puede actuar como si esa falta [la colonización] no se hubiera cometido. Nadie puede actuar como si esa historia no hubiera sucedido. Tanto para lo mejor como para lo peor, la colonización transformó al hombre africano y al hombre europeo. Jóvenes de África, sois los herederos de todo lo que Occidente depositó en el corazón y en el alma de África».

Esta civilización occidental «depositada» —¡qué término tan delicado!— por el colono, el legionario, el misionero, el cómitre y el capataz de las plantaciones en el alma africana es actualmente la civilización planetaria: «Abrid los ojos, jóvenes de África, y ya no miréis, como han hecho con demasiada frecuencia vuestros mayores, la civilización mundial como una amenaza para vuestra identidad, sino la civilización mundial como algo que también os pertenece».

Un momento especialmente grotesco fue aquel en que Sarkozy arremetió contra los «mitos» de la identidad negroafricana. Porque, en boca del presidente de la República francesa, es a ellos a los que hay que responsabilizar de los males actuales del continente negro.

Sarkozy hablaba en la Universidad Cheikh-Anta-Diop. Ahora bien, fue Cheikh Anta quien, con Senghor, preconizó la idea de una identidad negroafricana singular e irreductible, y la necesidad de un desarrollo económico autocentrado.

Cheikh Anta había establecido, entre otras cosas, el origen negroafricano de las primeras dinastías faraónicas de Egipto. Su obra ejerció una influencia profunda en las generaciones sucesivas de estudiantes africanos, especialmente senegaleses, y en el momento actual no ha perdido ni un ápice de su vigencia.[2]

Ante un público estupefacto, Sarkozy atacaba sencillamente la enseñanza de Cheikh Anta: «Jóvenes de África, no cedáis a la tentación de la pureza, porque es una enfermedad, una enfermedad de la inteligencia, lo más peligroso que hay en el mundo. Y este mito impide mirar de frente la realidad de África. La realidad de África es la de un gran continente que tiene todas las bazas en su mano para alcanzar el éxito y que no lo logra porque no consigue liberarse de sus mitos».

Hacia el final de su diatriba, Sarkozy incurrió en la más grosera demagogia: «¿Queréis que deje de haber hambre en el territorio africano? ¿Queréis que, en el territorio africano, nunca más muera un solo niño de hambre? Entonces procuraos la autosuficiencia alimentaria. Entonces desarrollad las huertas. Para alimentarse, África necesita primero producir. Si eso es lo que queréis, jóvenes de África, tenéis entre vuestras manos el futuro de África, y Francia trabajará con vosotros para construir ese futuro».

Así es como Francia «trabaja» con África para construir ese futuro radiante. Entre 1972 y 2002, el número de hombres, mujeres y niños grave y crónicamente desnutridos en

África aumentó de ochenta a más de doscientos millones de personas. Ahora bien, una de las principales causas de este desastre es la política de *dumping* agrícola practicada por los Estados occidentales. En efecto, éstos pagan cada año a sus propios campesinos subvenciones de miles de millones de dólares en concepto de ayuda a la producción y a la exportación.[3] Consecuencia: en cualquier mercado africano —la *Sandaga* de Dakar, por ejemplo—, el consumidor puede comprar pollos, frutas y legumbres franceses, españoles, italianos, portugueses, etc., por la mitad o la tercera parte del precio que cuestan los productos autóctonos correspondientes.[4] Y algunos kilómetros más lejos, el campesino wolof, tukulor o bambara trabaja doce horas al día bajo un sol de plomo sin tener la menor oportunidad de acceder a un nivel de vida decente.

Sí, el *dumping* occidental destruye la agricultura hortícola en África. ¿Acaso hemos olvidado que treinta y siete de los cincuenta y tres países del continente africano viven principalmente de ella?

La última conferencia de la Organización Mundial del Comercio (OMC) se celebró en diciembre de 2005 en Hong Kong. Bajo la presión de los países del Sur, especialmente africanos y latinoamericanos, una mayoría de Estados occidentales aceptaron suprimir las ayudas a la exportación. En los tres meses que siguieron, las negociaciones multilaterales pusieron fin, como estaba previsto, al *dumping* agrícola.

En nombre de Francia, el presidente Jacques Chirac se opuso a esta decisión. Al haber quedado en minoría en Hong Kong, sus diplomáticos se aplicaron a continuación a sabotear las negociaciones multilaterales destinadas a conducir a la reducción gradual y luego a la desaparición de las subvenciones.

Sabotaje exitoso, ya que, en 2008, sigue en marcha la práctica del *dumping*. Y en el seno del Consejo de Ministros de la Unión Europea, en Bruselas, y del Consejo General de la OMC en Ginebra, Nicolas Sarkozy realizó exactamente la misma política, devastadora para la agricultura africana, que su predecesor.

El discurso de Dakar pretendía ser programático. Más allá de Senegal, Nicolas Sarkozy se dirigía a la juventud de todo el continente.

Fue recibido como una bofetada.[5]

Un intelectual senegalés, Doudou Diène, Ponente especial del Consejo de los Derechos Humanos de la ONU sobre las formas contemporáneas de racismo, discriminación racial y xenofobia, tomó la palabra el 9 de noviembre de 2007, ante la Asamblea General en Nueva York.

Diène es uno de los hombres más mesurados y más afables que yo conozca. Sin embargo, ese día estaba verdaderamente enfurecido. «Es fundamental que el presidente francés, Nicolas Sarkozy, sepa que el discurso de Dakar causó una herida profunda [...]. Decir, ante los intelectuales africanos, que no han entrado en la Historia es algo que se inspira en los escritos racistas de los siglos XVII, XVIII y XIX».[6]

Con Sudáfrica y Egipto, Argelia es uno de los tres Estados más influyentes de África. Este país, a pesar de enfrentarse a muchos problemas, se aplicó al equilibrio de sus finanzas públicas, y sus reservas en divisas son importantes. Acaba incluso de elaborar un programa de inversiones en cinco años, por un montante global de ciento ochenta mil millones de dólares.

Gran potencia petrolera, Argelia es cortejada por el mundo entero y no tiene necesidad ni de Bouygues, ni de Dassault, ni de ninguno de los amigos de Nicolas Sarkozy para salir adelante.

Por eso, la visita de menos de cuarenta y ocho horas del presidente francés a Argelia —fundamentalmente a Argel, Tipaza y Constantina— se desarrolló en un clima glacial, los días 3 y 4 de diciembre de 2007.

De cabellos entrecanos muy cortos, elegante, esbelto, de

una prudencia astuta, dado a proferir una opinión sobre todo lo humano y lo divino, con una erudición superficial pero con un brillante manejo de la retórica, Henri Guaino es el prototipo de esos tecnócratas intercambiables que las Grandes Escuelas francesas producen a cientos cada año.

Él es el autor de la mayoría de los destellos discursivos de Sarkozy.

En Argelia, Guaino no asumió ningún riesgo. No hubo aquí ningún llamamiento inflamado a la juventud ni excursiones histórico-filosóficas. Ninguna visita ruidosa a los siglos pasados. Simplemente dos discursos, tan apagado uno como el otro. El primero ante los empresarios en Argel, y el segundo ante los estudiantes en Constantina.

Escaldado por el desastre de Dakar, Sarkozy, en Argelia, sólo pretendía hablar de negocios. Pero no tenía en cuenta a Abdelaziz Buteflika, su gobierno y la casi totalidad de la opinión pública argelina.

Buteflika: «La memoria viene antes que los negocios». El presidente argelino exigió el reconocimiento de las fechorías cometidas en ciento treinta y dos años de ocupación y de los crímenes perpetrados por el ejército colonial.

Con torpeza, Sarkozy intentó hacer una concesión: «El pasado ya existe, el futuro está por reconstruir. Yo he venido para construir. No he venido por la nostalgia».[7]

Buteflika pedía excusas. Sarkozy lo esquivó en nombre del «rechazo de la nostalgia».

Siguiendo el consejo de Henri Guaino, Sarkozy propuso asimismo la creación de una comisión compuesta por historiadores argelinos y franceses con la finalidad de esclarecer el pasado. Sarkozy: «Nuestra historia está hecha de luces y sombras, de sangre y pasión. Ha llegado el momento de confiar a los historiadores argelinos y franceses la tarea de escribir juntos esta página de historia atormentada para que las generaciones futuras puedan, a cada lado del Mediterráneo, lanzar una misma mirada sobre nuestro pasado de alianza y de cooperación».

Argelia vivió una guerra de liberación de siete años. Más de dos millones de hombres, niños y mujeres árabes, cabilios, mozabitas y chauias fueron quemados, ametrallados, despedazados por las bombas, asesinados, mutilados y heridos.

Frente a esta espantosa tragedia, Sarkozy adoptó la posición confortable del agnóstico: ¿quiénes son los verdugos? ¿Quiénes son las víctimas? ¿Dónde están las responsabilidades históricas? Nadie lo sabe.

Los historiadores nos lo dirán.

¿Hay una disputa sobre la memoria? ¡Resolvámosla! ¿Existen varias verdades contradictorias? ¡Que los historiadores zanjen el debate!

Construyamos un relato común «aceptable» para todos. Pero, mientras tanto, ¡dejémonos de polémicas, por favor!

Sarkozy hizo esta propuesta en la Universidad Mentouri, en Constantina.

Hacía frío ese mes de diciembre en los altiplanos. Había nevado. Sin embargo, centenares de personas, estudiantes y curiosos, habían acudido para escuchar al presidente francés.

La sala le era hostil, se oyeron silbidos y abucheos.

La propuesta de Nicolas Sarkozy escandalizó a los estudiantes argelinos. Uno de ellos dijo a Hassan Zeytouni, el enviado especial de la revista *Afrique-Asie*: «¿Se imagina usted que el gobierno de la República federal alemana propusiera la creación de una comisión de historiadores germano-polaca o germano-israelí con la finalidad de sacar a la luz la verdad de la Segunda Guerra Mundial?».[8]

Lo que envenenaba la atmósfera era fundamentalmente el asunto del tratado de amistad argelino-francés. Aquí es necesario, pues, que repasemos brevemente su historia.

En 2003, Jacques Chirac visitó Argelia. Lanzó allí la idea de un tratado de amistad que sellaría la reconciliación entre los dos países.

Año y medio más tarde, varios diputados del UMP instrumentalizados por los nostálgicos de la Argelia francesa y por diferentes *lobbies* de repatriados y antiguos harkis, hicieron que la Asamblea Nacional adoptase un artículo de ley que declaraba el «papel positivo de la colonización».[9]

El artículo debía integrarse en un texto titulado: «Reconocimiento de la nación y contribución nacional en favor de los repatriados».

Estupefactos, los argelinos aguardaron una reacción enérgica por parte del gobierno y los partidos políticos franceses.

No llegó ninguna.

Ni el presidente Chirac ni Nicolas Sarkozy, entonces jefe del UMP, reaccionaron. El Partido Comunista y el PS también callaron.

Los argelinos, por su parte, reaccionaron con cólera. El 5 de mayo de 2005, conmemoraron el sexagésimo aniversario de la carnicería de Sétif, donde cuarenta y cinco mil argelinos desarmados habían sido ejecutados a sangre fría por la aviación, la gendarmería y el ejército franceses. En el discurso que pronunció en esta ocasión, Buteflika tuvo palabras especialmente virulentas para con la «amnesia» y el «desprecio» de Francia.

El artículo en litigio fue finalmente retirado. Pero el mal estaba hecho.

Añado, a título indicativo, que el gobierno francés empleó más de veinticinco años para acceder a utilizar la expresión «guerra de Argelia». Hasta finales de la década de 1980, la terminología oficial usaba esta otra: «los acontecimientos de Argelia».

El 17 de octubre de 1961, bajo la dirección del prefecto de policía Maurice Papon, policías y CRS parisinos se entregaron, durante una noche y un día, a las «ratonadas». Decenas de trabajadores argelinos fueron arrojados al Sena. A otros tantos les partieron el cráneo a porrazos. Y otros más murieron bajo tortura en los centros de detención. Veinte, treinta años más tarde, se necesitó toda la fuerza de convicción de algunos editores parisinos, como François Maspero, y luego especialmente Olivier Bétourné, para dar a conocer a la opinión pública la amplitud del drama.[10]

Pero del lado de los poderes públicos, nunca ha habido otra cosa que silencio.

En Argel, en 2007, Sarkozy solicitó la firma del acuerdo de amistad.

Buteflika exigía excusas.

Sarkozy manifestó su aversión por el «arrepentimiento».

Buteflika se negó a firmar.

Hagámosle justicia a Nicolas Sarkozy. Alcalde, ministro, candidato a la presidencia y presidente de la República, siempre permaneció fiel a sí mismo. En ningún momento cambió de parecer sobre la cuestión de los crímenes de la esclavitud y las matanzas relacionadas con la colonización.

Cuando era candidato a la presidencia, dijo, el 7 de febrero de 2007, en Tolón: «El sueño europeo, que fue el sueño de Bonaparte en Egipto, de Napoleón III en Argelia, de Lyautey en Marruecos [...] no fue tanto un sueño de conquista como un sueño de civilización. Dejemos de ensombrecer el pasado de Francia [...]. Quiero decirlo a todos los adeptos del arrepentimiento [...]: ¿con qué derecho pedís a los hijos que se arrepientan de las faltas de sus padres, que a menudo sus padres sólo cometieron en vuestra imaginación?».

Gilles d'Elia escribe: «La última etapa de la colonización consiste en colonizar la historia del colonialismo».[11]

D'Elia habla del discurso de «contable» de Sarkozy. Gastos y recetas. Al ser el colonialismo, dice, el puro producto del modo de producción capitalista, esta visión contable de la Historia es, a fin de cuentas, natural.

Y no obstante, es detestable. ¿Cuántas escuelas, carreteras y pozos se construyeron en el Sahel en cien años de colonización? ¿A cuántos hombres, niños y mujeres mató la Legión Extranjera en Antananarivo en 1947? Tantos kilómetros de pistas asfaltadas contra ochenta y cinco mil muertos en Madagascar.

Para Nicolas Sarkozy, el balance está equilibrado.

Para cualquier hombre sensato, la comparación misma es indecente.

Cuando era ministro del Interior, Sarkozy solicitó ser recibido por Aimé Césaire.

Éste se negó en primera instancia.

Más tarde, ante la insistencia del ministro, cedió.

Sarkozy se reunió, pues, con Aimé Césaire en Fort-de-France, en Martinica.

Nadie sabe las palabras que intercambiaron el candidato y el poeta.

Una única certeza: como regalo de despedida, Aimé Césaire entregó a su visitante su *Discours sur le colonialisme*, obra maestra de setenta y cuatro páginas que todavía sigue alimentando actualmente el espíritu de resistencia de millones de hombres y mujeres en todo el hemisferio sur.

En él se lee: «En esto, lo fundamental es ver con claridad, pensar con claridad, asumir el riesgo de interpretar y responder con claridad a la inocente pregunta inicial: ¿qué es en su principio la colonización? Ponerse de acuerdo en lo que de ninguna manera es: ni evangelización, ni empresa filantrópica, ni voluntad de hacer retroceder las fronteras de la ignorancia, la enfermedad y la tiranía; ni expansión de Dios, ni extensión del Derecho. Admitir de una vez por todas [...] que el gesto decisivo es aquí el del aventurero y el pirata, el abacero al por mayor y el armador, el buscador de oro y el comerciante, el apetito y la fuerza, con la sombra proyectada detrás, maléfica, de una forma de civilización que, en un momento dado de su historia, se ve obligada, de forma interna, a extender a escala mundial la competencia de sus economías antagonistas. [...] Europa es moral y espiritualmente indefendible».[12]

SEGUNDA PARTE

LA FILIACIÓN ABOMINABLE

I

DEL ESCLAVISTA AL PREDADOR OMNÍVORO

Una segunda fuente de sufrimiento alimenta el odio de los pueblos del Sur hacia Occidente: la que impone en la actualidad el orden occidental globalizado. Para la mayoría de los hombres de Estado y los combatientes de los movimientos sociales del Sur, este orden —que golpea tan duramente a las capas más pobres del Sur— se inscribe en filiación directa con los modos de producción esclavista y colonial.

El 2 de septiembre de 2001, en Durban, el ministro de Justicia de Costa de Marfil, Oulai Siene, subió a la tribuna. Y dijo: «Si creen que la esclavitud ha desaparecido, piénsenlo de nuevo. ¿Cómo entender, si no, que el precio de un producto fabricado durante largos meses y con un duro trabajo, bajo el sol y la lluvia, por millones de campesinos, lo determine alguien que está sentado en una silla detrás de un ordenador en una oficina aclimatada, sin tener en cuenta sus sufrimientos? Lo único que ha cambiado [tras la abolición de la esclavitud] son los métodos. Se han vuelto más "humanos". Ya no se embarca a los negros en barcos hacia las Antillas y las Américas. Permanecen en su suelo. Traspiran sudor y sangre para ver luego cómo se negocia el precio de su trabajo en Londres, París o Nueva York. Los esclavistas no han muerto. Se han transformado en especuladores bursátiles».

Edgar Morin lo ratifica: «La dominación de Occidente es la peor de la historia humana tanto en su duración como en su extensión planetaria».[1]

Desde hace más de quinientos años, los occidentales dominan el planeta. Ahora bien, como ya he recordado, los blancos, en la actualidad, no representan apenas más que el 12,8 por 100 de la población mundial. En cuanto al pasado, nunca superaron el 24 por 100.

Dominación minoritaria, pues, aunque dominación feroz, y altamente organizada.

Cuatro sistemas de dominación se sucedieron en la Historia. En primer lugar, el llamado de las «conquistas». A partir de 1492, los occidentales descubrieron las Américas y tomaron posesión de sus tierras. Destruyeron o cargaron de cadenas a poblaciones hasta entonces «desconocidas».

A continuación, vino la época del comercio triangular y la deportación masiva de negros africanos hacia el continente americano despoblado por la matanza de los indios.

Siguió un tercer sistema de opresión occidental: durante todo el siglo XIX se estableció, sobre todo en África, pero asimismo en Asia, el sistema colonial. La ocupación militar garantizó el acceso directo a los recursos mineros y agrícolas. La destrucción de las civilizaciones autóctonas por parte de los misioneros cristianos y los apóstoles del universalismo republicano quebró las resistencias. Eso facilitó enormemente la introducción del trabajo forzado.

En la percepción de los pueblos del Sur, el actual orden del capital occidental globalizado, con sus mercenarios de la Organización Mundial del Comercio, el Fondo Monetario Internacional, el Banco Mundial, sus sociedades transcontinentales privadas y su ideología neoliberal, representa el último, y de lejos el más asesino, de los sistemas de opresión que se han dado en el curso de los cinco siglos pasados.

La violencia ejercida por la famosa «Mano invisible» del mercado, la monopolización de las riquezas por parte de las oligarquías transcontinentales, perpetúa, agravándolos, los tres sistemas de opresión anteriores.

La noche de la miseria y de la injusticia cubre con su manto las tierras del Sur. Y actualmente es más cerrada que nunca.

Porque nunca Occidente fue más poderoso que en la actualidad.

Tomemos dos ejemplos para ilustrar la violencia que ejerce Occidente contra los pueblos del Sur: la destrucción del mercado africano del algodón y la imposición mediante chantaje del nuevo acuerdo de colaboración económica por parte de la Unión Europea a los pueblos de los ACP.[2]

La primera de estas dos batallas se reduce prácticamente a un duelo entre dos personalidades totalmente distintas, pero igualmente fascinantes.

Sidiki Lamine Sow es un gran peul espigado, de mirada oscura, inteligencia brillante, y que habla con soltura el chino. Encierra toda la sutileza, la finura y la complejidad de la cultura peul. Lamine es embajador de Malí en la ONU y la OMC (Organización Mundial del Comercio) en Ginebra.[3]

Pascal Lamy es director general de la OMC. Tecnócrata francés de altos vuelos, extraordinariamente competente, lleno de energía y con una ligera inclinación hacia la izquierda, está seguro de lo que dice y no se deja engañar. Es un reputado maratoniano.[4]

Ambos hombres se enfrentaron a propósito del algodón africano.

Cada año, el presidente americano George W. Bush paga a seis mil plantadores de algodón estadounidenses cinco mil millones de dólares en subvenciones. En el mercado mundial, el algodón estadounidense se comercializa a precios de entre un 30 y un 40 por 100 por debajo del precio del algodón africano. Ahora bien, en África occidental y central, cinco países viven casi exclusivamente del algodón, entre los cuales se encuentra Malí (que produce alrededor de cuatrocientas mil toneladas al año). El 85 por 100 de sus ingresos procede de esta materia prima.

En las plazas centrales de los pueblos de Malí (como en las de Burkina, Benin, Chad y Níger), montañas de fibras blancas se elevan hacia el cielo. Ningún camión, ni ningún negociante acude a cargar la menor paca. La economía de estos países —todos entre los cuarenta y nueve más pobres del mundo— está arruinada.

Los estatutos de la OMC prohíben formalmente el *dumping* agrícola. Teóricamente, Malí (al igual que los demás países productores de algodón) tendría derecho a exigir que se pusiera fin a las subvenciones estadounidenses. En Ginebra, no faltan gabinetes de abogados internacionales especializados en actuaciones ante las instancias judiciales de la OMC. Pero ni Malí ni ninguno de los demás países tiene medios para remunerar a esos abogados.

La OMC, por su lado, está en la obligación formal de aplicar sus estatutos, es decir, de exigir a Estados Unidos —bajo pena de graves sanciones comerciales— que renuncie a la subvención de sus plantadores de algodón.

¿Lamy atacar a Estados Unidos?

¡Olvidaos!

A Sidiki Lamine Sow, que llamó su atención sobre los sufrimientos infligidos a las familias de plantadores africanos, Lamy le respondió: «La OMC no es una agencia de desarrollo».[5]

Lamy trató entonces por todos los medios de imponer un acuerdo a Malí (y demás países), basado en una «aceptación voluntaria».

Malí se negó.

El país disponía de un arma secreta: los estatutos de la OMC exigen la unanimidad de los ciento cuarenta y nueve Estados miembros para la toma de cualquier decisión importante.

Para convencer a los ministros de Comercio Exterior de África occidental y central, Lamy desplegó verdaderos tesoros de astucia.

Alternó seducción y presiones.

Pero Sidiki se mantuvo en guardia: hasta ese momento, ningún ministro había aceptado el *dumping* estadounidense.

Entonces, Occidente cambió de táctica.

Todos los países africanos productores de algodón están aplastados por una deuda externa masiva. El FMI (Fondo Monetario Internacional) es dueño de su economía.

Y el FMI rechazó la refinanciación de la deuda. Exigió la privatización de las ramas de actividad relacionadas con el algodón.

En adelante, los Estados afectados ya no tienen derecho a subvencionar los pesticidas, los abonos y los transportes de sus campesinos. Tampoco tienen la posibilidad de garantizar la comercialización internacional: las Oficinas Nacionales del algodón se han debilitado en todas partes.

De este modo, los productores africanos se vieron arrojados a la jungla del libre mercado y la competencia bajo control occidental. Son muy escasos los plantadores africanos capaces de pagar las semillas, los abonos y los pesticidas al precio exigido por las sociedades transcontinentales privadas. Así, han ido quebrando uno detrás de otro. Con sus hijos y sus mujeres, están todos condenados a buscar refugio en las chabolas de la costa.

La destrucción de las familias, el hambre, la prostitución infantil, el paro permanente y la desesperación son sus consecuencias.

El primero de los países algodoneros en sufrir el tratamiento impuesto por el FMI fue Benin: si, en 2005, Benin producía, estacionalmente, más de doscientas cincuenta mil toneladas de algodón de excelente calidad, en 2008 produjo menos de veinte mil toneladas.

La táctica de Occidente es eficaz. ¿Se niegan los africanos a aceptar el *dumping* estadounidense? ¿Pretenden hacer uso del derecho de oposición que les confieren los estatutos de la OMC? ¡Poco importa! Por medio de la privatización forzada, se destruyen sus plantaciones de algodón.

Segundo ejemplo: la imposición por parte de la Unión Europea del nuevo acuerdo de cooperación económica.

Los setenta y seis países ACP (África, Caribe, Pacífico) son todos antiguas colonias de una u otra de las potencias europeas. En el curso del proceso de unificación económica de Europa, los Estados miembros decidieron establecer relaciones económicas específicas con sus antiguas colonias.

Pero si algunas poblaciones del Sur salieron de la miseria, otras se hundieron un poco más en ella.

Profesor de economía en la Universidad de Oxford, Paul Collier acaba de publicar los resultados de una investigación realizada en un periodo de treinta años (1975-2005).[6]

A partir de 1975, cincuenta y ocho países del Sur se hundieron en la miseria. Son los que albergan *The Bottom Billion*, los mil millones de seres humanos que han caído al fondo del agujero.

Ahora bien, la mayoría de estos países forma parte de los países ACP.

Después de la colonización, la Comunidad Europea y luego la Unión Europea siempre mantuvieron con los países ACP convenios que concedían algunos privilegios a los más desfavorecidos. El último de estos acuerdos, llamado de Cotonou, fue firmado en el año 2000. Se basaba en un sistema complicado de intercambios comerciales llamados asimétricos: los ACP podrían exportar hacia Europa productos mediante derechos aduaneros claramente preferenciales y conservar el derecho a subir las tasas sobre las importaciones procedentes de la Unión Europea.

El acuerdo de Cotonou estaba previsto con una duración de veinte años. Debía por tanto, teóricamente, vencer en 2020. Ahora bien, en 2006, bruscamente, los comisarios de Bruselas retiraron su firma. Unilateralmente.

A continuación, el comisario de Comercio, Peter Mandelson, exigió a los ACP la apertura de negociaciones para un nuevo acuerdo de colaboración económica (APE). Para debilitar la resistencia de los países del Sur, de entrada, renunció al método antiguo, aplicado en Cotonou (y, antes, en Lomé), de la negociación multilateral.[7]

Las negociaciones serían bilaterales.

Finalmente, se estableció un sistema en virtud del cual seis equipos de Bruselas tratarían con seis grupos de Estados ACP.

El APE abolió la asimetría.

Se invitó a que los países ACP renunciaran a subir los aranceles sobre las importaciones de bienes procedentes de Europa.

El gran ducado de Luxemburgo está representado ante la ONU, en Ginebra, por un embajador con una independencia de espíritu refrescante, Jean Feyder. Éste constató la evidencia: «La supresión de las barreras aduaneras a la importación de productos europeos pondrá en competencia directa los productos de una de las regiones más avanzadas económicamente con los de algunos de los países más pobres del mundo».[8]

Los veintisiete países miembros de la Unión Europea disponen de un producto nacional bruto (PNB) acumulado de cerca de diez billones de euros. En 2007, estos países se disponían, pues, a enfrentarse en filas cerradas a cada uno de los seis grupos ACP.

El más pequeño de estos grupos está constituido por las islas del Pacífico. Su PNB combinado es de menos de siete mil millones de euros, o sea: ¡mil cuatrocientas veces inferior al de la Unión Europea! El mayor, por su lado, está compuesto por los países de África del Oeste. Su PNB es ochenta veces inferior al PNB acumulado de los países de la Unión Europea.

Peter Mandelson es un elegante retórico procedente de la izquierda liberal londinense. Fue el mentor, el confidente y, durante mucho tiempo, el ministro de Tony Blair. Su arrogancia es legendaria. Dice: «Las aduanas pertenecen a la Edad Media. Son totalmente arcaicas [...]. Ya no desempeñan ningún papel en la economía moderna».[9]

¡Cierto! En las recaudaciones presupuestarias de Francia,

de Inglaterra, de Alemania, etc., los ingresos aduaneros ya no desempeñan prácticamente ningún papel.

Pero para los países pobres, en cambio, en la medida en que no existe un sistema de impuestos eficaz, en que el sector público es deficitario y la acumulación interna del capital desdeñable, las aduanas constituyen la parte principal de los ingresos del Estado.[10]

Privar a un Estado ACP de sus ingresos aduaneros equivale así a condenarlo al vasallaje, la servidumbre y el desamparo.

Pero las actuales negociaciones de Bruselas impuestas a los países ACP no conciernen tan sólo a las relaciones comerciales. El APE será pronto seguido por un acuerdo de inversión.

¡Una trampa mayor! Occidente juega al doble juego.

Quiere, efectivamente, imponer en todas partes estos acuerdos de inversión, a fin de abrir los países del Sur a las sociedades transcontinentales privadas occidentales. Pero camufla hábilmente su estrategia afirmando que este acuerdo de inversión hará afluir capitales occidentales hacia las industrias locales del Sur.

¡Mentira! África firmó, entre 1996 y 2007, más de mil acuerdos de inversiones. Ahora bien, las inversiones extranjeras directas, esas de las que se benefician las industrias locales, las empresas de servicios, etc., no representan actualmente más que el 2 por 100 de las inversiones directas extranjeras mundiales...

En la actualidad, el núcleo de cualquier acuerdo de inversión internacional es la cláusula de no discriminación: el Estado anfitrión debe conceder a la sociedad multinacional extranjera el mismo trato fiscal, administrativo y legal que a sus propias sociedades industriales, comerciales o de servicios. Ahora bien, nadie puede ignorar que todos los países del mundo que se han industrializado lo han hecho gracias a la discriminación. Durante mucho tiempo protegieron a sus propias empresas contra la competencia de las empresas extranjeras erigiendo barreras de protección aduanera.

Y, evidentemente, la no discriminación impuesta por Bruselas a los ACP significa para ellos la imposibilidad de desarrollar ninguna política de industrialización nacional en absoluto.[11]

Negociación no es decididamente la palabra que conviene emplear aquí. Chantaje sería el término más adecuado.

Imaginemos la escena: una larga mesa de diseño adornada con flores y cubierta de micrófonos en medio de una amplia sala climatizada. Al fondo, las cabinas de los intérpretes. En el techo, arañas de cristal.

De un lado de la mesa, los principales comisarios de la Unión Europea. Detrás de ellos, sentados en varias filas, sus colaboradores y colaboradoras, con portátiles abiertos sobre las rodillas. Del otro lado, mujeres y hombres de tez negra, morena o cobriza, representando a los ACP.

La negociación se entabla, turno por turno. Y por encima de la cabeza de los senegaleses, los haitianos, los malgaches, etc., suspendida como una espada dispuesta a abatirse sobre su nuca, la amenaza de interrumpir los pagos del Fondo Europeo de Desarrollo (FED).

Porque nadie ignora, alrededor de la mesa, que gran cantidad de países ACP sólo sobreviven gracias a las ayudas financieras que dispensa la Unión Europea.

Cada año, desde septiembre u octubre (según los países y las cosechas), las cajas están vacías. Si la tesorería de Bruselas no paga para equilibrar el año, nadie —ni funcionarios, ni militares, ni enfermeras— cobrará.

Y sin salario, ¿cómo podrían vivir sus familias? Amenazarían manifestaciones, huelgas y motines.

Sin las partidas presupuestarias de Bruselas, despedirían a gran cantidad de los ministros ACP sentados en la mesa.

Con su cinismo habitual, Peter Mandelson resume perfectamente la situación. Al salir de un maratón de negociaciones mantenidas con el grupo de Estados ACP de la región del Caribe, en marzo de 2007, declaró a la BBC: «La región caribeña avanza con mayor rapidez que las demás en el proceso. Sin duda, así va a salir ganando mucho más y será la primera atendida cuando se traten las ayudas al desarrollo, porque la región negocia e intenta poner en marcha los acuerdos».

Haití es uno de los principales países de la región ACP-Caribe. Es la nación más desfavorecida de América Latina, y el tercer país más miserable del planeta.

Es fácilmente comprensible que, con Haití, «las negociaciones progresen».

Contradecir al comisario Mandelson sería sencillamente suicida para el presidente René Préval.

Pero, cuando Occidente finge negociar con los pueblos del Sur, llega siempre el momento en que las máscaras se vienen abajo. Y, un buen día de la primavera de 2007, esa hora llegó.

Los representantes de África del Oeste, en la gran sala aséptica y sin ventanas del monstruoso complejo de Varlimont, sede de la Comisión en Bruselas, llevaban ofreciendo resistencia desde la mañana a los comisarios europeos.

Era el 1 de marzo.

De pronto, el jovial Louis Michel, comisario para el desarrollo, perdió toda moderación. Amenazó con represalias económicas a los africanos, al recordarles que los Fondos de Ayuda al Desarrollo podían serles también cortados en cualquier momento.

Pero, para enorme sorpresa de los comisarios, los africanos no se dejaron convencer: impusieron una suspensión de la sesión.

En su nombre, el embajador de Nigeria convocó a continuación una conferencia de prensa. Y tuvo la oportunidad de mostrar su cólera por ver a los africanos tratados «como chiquillos» y «mendigos». Exigió también «aclaraciones» a propósito de las futuras inversiones vinculadas a la ayuda al desarrollo.[12]

Se atrevió incluso a condenar el «tono irrespetuoso» utilizado por «algunos comisarios».[13]

Por la tarde del mismo día, Louis Michel presentó públicamente excusas a los representantes africanos, «lamentando haberse dejado arrastrar».[14]

El resultado de las batallas del algodón y del APE sigue siendo incierto.

Pero lo que es seguro es que el cinismo y la arrogancia con los cuales Peter Mandelson, Louis Michel y Pascal Lamy intentan quebrantar la resistencia de los pueblos del Sur contribuyen poderosamente a una escalada del odio a Occidente.

2

EN LA INDIA Y EN CHINA

Aquí surge una objeción.

Oligarquías financieras poderosas se han impuesto en el Sur. Practican un capitalismo imitativo despiadado, que acumula riquezas astronómicas. Sus fondos de inversión tienen importantes participaciones en la Société Générale, en Francia, en la UBS, en Suiza, y en cantidad de otros grandes bancos de negocios occidentales.

El surgimiento de estas oligarquías del Sur ¿no contradice acaso la tesis del sistema de explotación globalizado dominado por Occidente? ¿Cómo hablar de la omnipotencia de Occidente, cuando la India y China, por ejemplo, experimentan un crecimiento anual de su producto interior bruto del 9,8 por 100 una y del 12 por 100 la otra?[1]

La objeción es inaceptable.

La multipolaridad del capitalismo financiero globalizado es una engañifa. En cualquier lugar donde actúen las oligarquías capitalistas, lo hacen según los mismos métodos: mediante la maximización y la monopolización de beneficios, mediante la destrucción de la norma estatal y mediante la sobreexplotación de los recursos naturales y del trabajo humano, aun cuando, entre ellas, impere una competencia aguda y estén atravesadas por conflictos.

Ése es, por lo demás, el motivo por el cual los pueblos del Sur odian a sus oligarquías locales de la misma manera, y por las mismas razones, que odian a Occidente. Por poderosas que sean, las oligarquías del Sur reproducen, en efecto, el sistema mundial de dominación y de explotación establecido por los occidentales.

Los más poderosos oligarcas del Sur viven en Londres, París, Nueva York o Ginebra. En abril de 2008, la prensa financiera británica publicó la lista de los cien residentes más acaudalados del Reino Unido. El primer inglés de pura cepa sólo aparecía en la novena posición. Un magnate indio del acero ocupaba el primer lugar del palmarés.

La influencia de las oligarquías del Sur en el sistema capitalista mundial no deja de desarrollarse. En el espacio de siete años (2001-2008), el peso de las empresas multinacionales originarias del Sur en el seno de las mil primeras capitalizaciones bursátiles mundiales prosperó del 5 por 100 al 19 por 100.[2]

Examinemos el caso de la India, y más concretamente el de Hyderabad, en el sureste del país. En la inmediata vecindad de esta soberbia ciudad, ruidosa, piojosa y milenaria, el gobierno de Andhra Pradesh hizo construir cinco «zonas de expansión económica». Avenidas interminables, con seis carriles de ancho, palacios de cristal y hormigón, parques suntuosos, hoteles de un lujo inaudito... El primer inmueble de «Cyberabad» se remonta al año 2000.

Microsoft convirtió «Cyberabad» en su segundo centro mundial de desarrollo. Al lado de su palacio se erigen los inmuebles de Dell, IBM, Google, Oracle y Capgemini. Poderosas sociedades indias se instalaron también en una u otra de las cuatro zonas: Satyam, Infoys, Wipro y Tata.

Los grandes bancos internacionales siguieron a los gigantes de las tecnologías de la información y la comunicación (TIC). El UBS da empleo aquí a dos mil cuatrocientas personas, el HSBC todavía a más. A comienzos de 2008, más de mil quinientas sociedades de envergadura mundial se instalaron en Hyderabad. Y su número sigue creciendo sin parar.

Los privilegios concedidos por el gobierno de Andhra Pradesh a los señores mundiales de la electrónica y de la banca son dignos de consideración: terrenos gratuitos; franquicia fiscal durante diez años; supresión de aranceles sobre el material de importación; exención de cualquier tipo de impuesto o tasa sobre la renta de los asalariados extranjeros; suministro de electricidad a una tarifa cercana a cero; e inspección de trabajo reducida al mínimo.

Un aeropuerto intercontinental acoge vuelos directos procedentes de Londres.

En 2008, más de cien mil personas trabajaban en Hyderabad, la mayoría de ellas por un salario increíblemente bajo. En tanto que la Indian School of Business, fundada en 2002, se sitúa ya en el vigésimo puesto en la lista de las mejores escuelas de negocios del mundo.

En los paseos deteriorados de la ciudad antigua o los terrenos indefinidos que rodean las «zonas de expansión económica», se levantan las tiendas frágiles y los cobertizos de plástico de los pobres. Decenas de miles de familias vegetan allí en una indigencia abyecta. El aire está saturado de ese humo áspero que emana de las hogueras de ramas donde hierve una sopa pobre, enriquecida con los restos de alimentos rebuscados en los cubos de basura de las «zonas».

Cerca de la mitad de las personas más grave (y permanentemente) desnutridas del planeta viven en las chabolas de Mumbay (Bombay), Calcuta, Nueva Delhi, en las *Tribal Areas* o las campiñas apartadas de Orissa, Uttar Pradesh o Bengala. En total, sobre un conjunto mundial de 854 millones,[3] 382 millones de personas padecen allí una carencia de alimento regular y suficiente.

Los suelos en proceso de agotamiento exigen cada vez más abono. El clima es rudo y los insectos son una amenaza permanente para las magras cosechas. Se necesitan pesticidas.

La Unión India apenas se ocupa de este campesinado de subsistencia.

No existe prácticamente ningún sistema de subvenciones para facilitar la adquisición de abonos y pesticidas. El campesino deberá, pues, pagar el precio (exorbitante en la mayoría de los casos) impuesto por las sociedades transcontinentales de la agroquímica.

Para pedir créditos, deberá dirigirse al usurero de la aldea.

Danilo Ramos, secretario general filipino de la Asian Peasant Coalition (APC, 'Coalición asiática de campesinos'), en una comunicación oficial en la OMC, escribe: «Entre 2001 y 2007, se suicidaron 125.000 campesinos indios, hasta tal punto los ha empobrecido la liberalización de la agricultura».[4]

Un extraño ritual preside el suicidio.

El campesino se aísla de su familia durante varios días. Ya no abandona su chabola. Ya no habla. Ya no come.

Su mujer y sus hijos asisten angustiados, pero impotentes, a su postración.

Luego, una mañana, al despuntar el sol, sale de la chabola y se traga un bidón de pesticida. Como si quisiera morir a causa de la sustancia que lo ha arruinado.

Muere lentamente en medio de grandes sufrimientos.

Los campesinos soportan estos sufrimientos como para castigarse por no haber sido capaces de alimentar a sus hijos, su mujer y sus padres. Es la vergüenza lo que los mata.

Muchos campesinos se suicidan también con la esperanza de liberar a su familia de la esclavitud de la deuda. Y sin embargo, en la mayoría de los casos, esta esperanza es vana. El usurero logra pronto embargar la parcela, el pozo y la chabola.

La viuda y los hijos serán expulsados. Se irán a reunir al ejército innumerable de los muertos de hambre de los *slums* ['suburbios'] de Calcuta, Mumbay o Delhi.

En el índice de desarrollo humano del PNUD [Programa de las Naciones Unidas para el Desarrollo], la India figuraba en 2007 en el puesto 128.[5]

Ahora consideremos el caso de China.

En 1983, el primer ministro Deng Xiaoping decretó la integración de China en el sistema capitalista occidental. Abrió el país a las inversiones extranjeras, liberalizó los precios, privatizó decenas de miles de fábricas y de empresas de servicios y abolió gradualmente la protección social de los trabajadores.[6]

La población opuso resistencia. En mayo de 1989, miles de obreros y estudiantes levantaron barricadas en la plaza de Tiananmen, en el centro de Pekín, reclamando el respeto por los derechos democráticos. Al amanecer del 4 de junio, los blindados aplastaron las barricadas y dispararon a la muchedumbre. Se contaron cerca de siete mil muertos y miles de heridos. Deng Xiaoping proclamó el estado de excepción. Entonces, se organizó una persecución en todo el país, seguida por decenas de miles de ejecuciones.

En la actualidad, la oligarquía financiera china se recluta casi exclusivamente entre las familias reinantes del Partido Comunista.[7] No existen sindicatos independientes. La huelga se castiga como un «crimen económico».[8]

¿Es de extrañar, entonces, que más de cien millones de chinos no tengan trabajo fijo ni una renta decente? La mayoría de ellos son migrantes del interior, carentes de cualquier acceso a los servicios de salud y a la escolarización. Pertenecen a lo que el gobierno llama «población flotante».

Las rebeliones sociales se reprimen en China con mucha dureza. Una policía especial hace estragos en las campiñas, los *chengguan*. Sus agentes son manifiestamente brutales.

Los aldeanos de la provincia de Hubei protestaron contra las molestias de una descarga de basuras a cielo abierto. Los *chengguan* mataron a mujeres, hombres y niños.

Un valiente ciudadano de nombre Wei Wenhua filmó la escena y difundió clandestinamente las imágenes. El 7 de enero de 2008, Wei Wenhua fue apaleado hasta la muerte por los *chengguan*.[9]

En las fábricas chinas, especialmente las que se encuentran situadas en las «zonas de exportación especiales», las condiciones de trabajo son con frecuencia inhumanas, y la protección de las trabajadoras y los trabajadores prácticamente inexistente.[10] Para seguir siendo competitivos con las otras «zonas de exportación especiales» (en Corea del Sur, Taiwán, en Tailandia, Bangladesh, etc.), el gobierno chino mantiene salarios apenas suficientes para sobrevivir (*subsistence level*, según el *New York Times*).[11]

La edad mínima para trabajar en una fábrica es de dieciséis años. Una jornada ordinaria de trabajo dura entre catorce y dieciséis horas.

Una fuerte concentración de fábricas que trabajan para las sociedades multinacionales extranjeras se instaló en el delta del río Perla, provincia de Guangzhou, no lejos de Hong Kong. David Barboza, del *New York Times*, que indagó en la región, escribe: «*Factory workers break or lose about 40.000 fingers on the job every year*» ('Los trabajadores de las fábricas pierden alrededor de cuarenta mil dedos, rotos o cortados en su máquina, cada año').[12]

China posee también el récord mundial de ejecuciones capitales. El gobierno considera las estadísticas sobre la pena de muerte como un secreto de Estado, pero Amnistía Internacional calcula en más de ocho mil el número de ejecuciones capitales en 2006.[13]

En las minas de carbón, por falta de aireación suficiente y de instalaciones de seguridad, las explosiones de grisú matan, cada año, a cientos de mineros. Otras sociedades mineras dan también prueba fehaciente del más hondo desprecio en que se tienen los problemas de salud pública. Pascale Nivelle realizó una investigación en Xinzhuang, en la provincia de Hunan, al sur de Pekín, donde se depositaron (al aire libre) 33,5 millones de toneladas de desechos de uranio. Estos desechos provenían de unas minas abandonadas en 2003.

Un padre de familia, un campesino que vive cerca de la antigua mina 712, explica a Pascale Nivelle: «La radioactividad mata muy lentamente... Se necesitará mucho tiempo para verificar en la población el alcance de todo el desastre que nosotros podemos observar en los menores».[14]

El hijo de este campesino tiene veinticuatro años. Trabaja en una fábrica de Cantón. También él sufre un tumor en el cuello.

En 2003, fecha del cierre de la mina, trescientos cincuenta —de los cuatro mil mineros que todavía conservaban la vida— padecían cáncer.

Si inexistentes son las libertades públicas en China, a los mongoles, uigures y tibetanos se les impone un régimen de hierro. Este despotismo está discretamente apoyado por Occidente, cuya preocupación es ante todo la estabilidad y la rentabilidad en las «zonas de exportación especiales».

Las oligarquías financieras china, india y occidental son competidoras y solidarias en el seno del mismo sistema de opresión y de explotación de los pueblos.

El sufrimiento de las poblaciones alimenta el odio a Occidente.

TERCERA PARTE

LA ESQUIZOFRENIA DE OCCIDENTE

I

LOS DERECHOS HUMANOS

Los derechos humanos deberían ser la base de la comunidad internacional. Fijan las normas mínimas en virtud de las cuales hombres procedentes de horizontes diferentes pueden encontrarse, reconocerse y hablarse.

Estos derechos son civiles y políticos, económicos, sociales y culturales. La mayoría son individuales, pero algunos son colectivos, como, por ejemplo, el derecho a la autodeterminación de los pueblos o el derecho al desarrollo.

Todos son consustanciales al ser humano. «Los hombres nacen libres e iguales en derecho», proclama magníficamente el artículo 1 de la Declaración de los Derechos Humanos y del Ciudadano votada el 26 agosto de 1789 en París y matriz de muchas declaraciones ulteriores.

Todos los derechos humanos son, además, universales, indivisibles e interdependientes.

¿A quiénes fijan límites actualmente? En primer lugar, a los Estados, pero también a todos los actores no estatales, y, en especial, a las sociedades privadas trasnacionales.

Butros Butros-Ghali, secretario general de las Naciones Unidas hasta 1995, escribió: «En tanto que instrumentos de referencia, los derechos humanos constituyen el lenguaje común de la humanidad gracias al cual todos los pueblos pueden, al mismo tiempo, comprender a los otros y escribir su propia historia. Los derechos humanos son, por definición, la norma última de cualquier política [...]. Son, esencialmente, derechos en movimiento. Quiero decir con ello que tienen por objeto, a la vez, la expresión de mandamientos inmutables y la enunciación de un momento de la conciencia histórica. Simultáneamente son absolutos y están circunscritos a una situación».[1]

Y sigue Butros-Ghali: «Los derechos humanos no son el mínimo común denominador de todas las naciones, sino, al contrario, lo que me gustaría denominar lo irreductiblemente humano, la quintaesencia de los valores por los cuales nos corroboramos a nosotros mismos, juntos, que somos una sola comunidad humana».[2]

Los derechos humanos, ¡lamentablemente!, no competen, en el orden internacional, al derecho positivo. Lo que significa que todavía no existe ningún tribunal internacional capaz de hacer justicia a la víctima y de condenar al delincuente a la reparación.

Parafraseando a Hegel, podríamos decir que los derechos humanos —tanto los derechos civiles y políticos como los derechos económicos, sociales y culturales— constituyen el «Absoluto en relación», el «Universal concreto». Son, efectivamente, el horizonte de nuestra historia. Pero un derecho cuya validez ninguna fuerza está en disposición de sancionar reduce su existencia a la de un fantasma.[3]

Por eso, la única realidad de los derechos humanos en la arena internacional es la fuerza de convicción que arrastran, y que, a la vez, está en función de la credibilidad de quien los enuncia.

La buena fe y la sinceridad del sujeto hablante son aquí decisivas.

Ahora bien, todo el discurso de los derechos humanos mantenido por los occidentales está marcado por el doble lenguaje, o peor: por una verdadera esquizofrenia.

Observemos la historia.

La Declaración Universal de los Derechos Humanos, tal como fue adoptada por la Asamblea General de las Naciones Unidas el 10 de diciembre de 1948, es fundamentalmente heredera de la Declaración de Independencia de Estados Unidos, tal como fue proclamada en Filadelfia el 4 de julio de 1776.[4]

Con Benjamin Franklin, Thomas Jefferson fue el principal redactor de la Declaración de Filadelfia. A su muerte, en 1826, legó a sus herederos, además de inmensas extensiones de tierra en Virginia, la plena propiedad de más de doscientos esclavos.

El artículo 1 de la Declaración Universal de 1948 dice lo siguiente: «Todos los seres humanos nacen libres e iguales en dignidad y en derechos. Están dotados de razón y conciencia y deben actuar los unos para con los otros con un espíritu de fraternidad».

Y el artículo 3: «Todo individuo tiene derecho a la vida, a la libertad y a la seguridad de su persona».

Ahora bien, en 1948, las tres cuartas partes de la humanidad vivían bajo la férula colonial. En los campamentos de trabajadores forzados de las plantaciones de caucho de Camboya, los niños morían por desnutrición, la contaminación del agua y la malaria.

En Gabón, Camerún y el Congo Brazzaville, los capataces de las sociedades forestales francesas azotaban con látigos de clavos, hasta hacerlos sangrar, a los leñadores demasiado débiles o demasiado enfermos para derribar la cantidad de árboles requerida.

En Kivu, en Maniema, en Kasai, los administradores belgas suspendían de las ramas de los árboles, por sus puños esposados, a los trabajadores de las minas sospechosos de hurtos; cuando la gangrena había hecho su obra, se descolgaba al supliciado y se le amputaban las manos.

Durante todo este tiempo, los Estados occidentales, principales Estados miembros de las Naciones Unidas en la época, festejaban cada año, el 10 de diciembre, los nobles principios de los derechos humanos. Eso no menoscaba en nada, por lo demás, la validez de los principios en cuestión. Pero debemos fijar nuestra atención en esta capacidad que tienen los occidentales de dictar la ley para los demás sin aplicársela a sí mismos. Porque esta facultad, que raya en la esquizofrenia, es impresionante.

Pongamos algunos ejemplos recientes.

Y, en primer lugar, la resolución del Consejo de Seguridad, el 6 de octubre de 2006, de enviar veinte mil cascos azules para tratar de poner fin al genocidio de Darfur. Esta resolución, llamada de la «responsabilidad de proteger», fue votada por Francia.

Ante la imposibilidad de ponerla en práctica, el secretario general de la ONU propuso enviar soldados internacionales a la República Centroafricana y a Chad con el fin de proteger a los cientos de miles de refugiados massalit, zaghawa y four acorralados en la zona fronteriza.

En Chad, los seis campos de supervivientes (Bahai, Ereba, Guerida, Forshana, Goz-Beida, Nigrana), establecidos por el Alto Comisariado para los refugiados y abastecidos de alimentos, agua y medicamentos por el Programa Mundial de Alimentos (PMA), albergan a 217.000 personas.[5]

Los yanyauids llevan a cabo casi cotidianamente una incursión en territorio chadiano, queman las aldeas y envenenan los pozos.

Las mujeres que se alejan del campo de refugiados para buscar leña para cocer y agua son frecuentemente raptadas, violadas y luego asesinadas. Los niños encargados de guardar los escuálidos rebaños en la sabana, en la linde de los campos, son raptados con frecuencia. Para proteger a los refugiados, la presencia de los Cascos Azules era, por tanto, una cuestión urgente.

Ahora bien, en abril de 2007, para estupefacción general, el presidente chadiano Idriss Déby, a pesar de ser un enemigo mortal de los generales en el poder en Jartún, rechazó el estacionamiento de Cascos Azules en la más mínima porción de su territorio.

Este rechazo le había sido dictado por su tutor: el presidente de la República francesa. El ejército francés mantiene, en efecto, en Yamena y Abéché dos bases. Chad es en adelante el terreno reservado de Nicolas Sarkozy. Y éste decidió que acoger en Chad a una tropa de la ONU no era deseable. ¡Y que a los refugiados los parta un rayo![6]

Otro ejemplo.

La Convención de las Naciones Unidas contra la tortura y otros tratos o penas crueles, inhumanos o degradantes fue adoptada por la Asamblea General el 10 de diciembre de 1984.[7] Firmada y ratificada por ciento cuarenta y cinco Estados miembros de la ONU, está en vigor desde el 26 de junio de 1987.

Estados Unidos firmó la Convención en 1988 y la ratificó en 1994.

Y sin embargo, el 18 de septiembre de 2004, el presidente George W. Bush firmó un *executive order* ('decreto presidencial') que autorizaba la formación de comandos que operen al margen de cualquier ley nacional o internacional. ¿Cuál es su misión? Arrestar, interrogar y, si es necesario, ejecutar a los *terroristas* en cualquier lugar del mundo. Los comandos actúan sobre la base de listas nominativas establecidas por los servicios secretos.

Se ha restaurado la tortura. Se practica ya sea por parte de funcionarios estadounidenses, ya sea por agentes de Estados extranjeros a los que se entrega a los prisioneros. Los detenidos se transfieren entonces a prisiones clandestinas situadas en terceros países.

Este decreto presidencial del 18 de septiembre de 2004 contradice evidentemente la Convención de la ONU contra la tortura.[8]

En enero de 2008, cuatrocientos cincuenta y cinco «combatientes hostiles» estaban detenidos en Guantánamo Bay. Sus guardianes estadounidenses practicaban allí cotidianamente la tortura, los castigos y los tratos crueles, inhumanos y degradantes.

Según los textos estadounidenses en vigor, un «combatiente hostil» no es ni un prisionero de guerra ni un detenido de derecho común. No se le podría aplicar, por tanto, ni las Convenciones de Ginebra ni el Código Penal estadounidense. Queda, en consecuencia, entregado a la arbitrariedad de sus carceleros.

Seymour Hersh calcula que, en los calabozos oficiales o clandestinos norteamericanos y en los centros de detención de terceros Estados utilizados por la CIA, murieron bajo tortura entre 2002 y 2004 varias decenas de personas.[9]

El Consejo de los Derechos Humanos tiene como misión velar por la aplicación de las disposiciones de la Declaración por parte de los Estados miembros de la ONU. Elegido por la Asamblea General en Nueva York, tiene su sede en Ginebra. Está formado por cuarenta y siete Estados, la mayoría de ellos procedentes del hemisferio sur.

El interminable martirio del pueblo palestino constituye una preocupación permanente del Consejo.

Pongamos un ejemplo.

Beit Hanoun es una ciudad palestina situada en el extremo norte de la franja de Gaza. A las 5:30, la mañana del 8 de noviembre de 2006, los artilleros israelíes bombardearon dos inmuebles de viviendas en el límite meridional de la ciudad. Los artilleros mataron a diecinueve personas dormidas, entre las que se encontraban cinco mujeres y ocho niños. Veinte heridos graves tuvieron que ser amputados.

El ejército israelí proporcionó la siguiente explicación a la matanza: los disparos no fueron deliberados, se explican por «un grave y poco frecuente fallo técnico del sistema de radar de la artillería».[10] El blanco al que apuntaban era, de hecho, un terreno indefinido situado a 450 metros de los primeros inmuebles habitados, desde donde resistentes palestinos habían disparado cohetes Kassam.

La organización no gubernamental estadounidense Human Rights Watch impugna esta explicación. Se lanzaron quince obuses en veinte minutos. Si se hubiera producido un fallo en un sistema de puntería, los disparos se habrían interrumpido inmediatamente tras el primer obús.

Al igual que los habitantes de Beit Hanoun, Human Rights Watch concluye de ello que se trata de una matanza deliberada.

El Consejo de los Derechos Humanos convocó entonces una sesión especial para discutir acerca de la matanza de Beit Hanoun.

Bajo la presidencia del obispo sudafricano y Premio Nobel de la Paz, Desmond Tutu, se constituyó una comisión de investigación internacional. Se supone que debería desplazarse a Gaza en diciembre e informar a continuación al Consejo, dos meses más tarde.

Pero las fuerzas de ocupación israelíes se negaron a expedir los visados.

La comisión no irá, pues, a Gaza. No habrá investigación. El Consejo no podrá examinar los crímenes de guerra israelíes. Ninguna reparación indemnizará a los pocos supervivientes de las familias palestinas asesinadas.

Los embajadores de la Unión Europea con sede en el Consejo no hicieron el menor gesto. Ninguna protesta. Beit Hanoun se suma en silencio a una serie interminable de crímenes impunes.

En diciembre de 2006, el Consejo de los Derechos Humanos convocó otra sesión extraordinaria, consagrada, en esta ocasión, a los crímenes cometidos en Darfur. Se constituyó una comisión de investigación, bajo la presidencia de otro Premio Nobel, Jody Williams.

Desmond Tutu formó parte igualmente de esta comisión.

Cuando el Consejo decide una misión de investigación, corresponde a los servicios de la alta comisaria de las Naciones

Unidas para los Derechos Humanos, en este caso Louise Arbour, garantizar la logística.

Louise Arbour solicitó, pues, los visados necesarios a Jartún. No hubo ninguna respuesta. Louise Arbour incrementó la presión, intentó asegurarse el apoyo del grupo de los Estados africanos y solicitó la ayuda del secretario general de las Naciones Unidas.

Trabajo en vano. Rechazo de Jartún.

Finalmente, la comisión Williams partió a pesar de todo. Se reuniría en Addis-Abeba la mañana del 10 de febrero de 2007, con la esperanza de que, durante su estancia en la capital etíope (gracias a la intervención del presidente Alpha Umar Konaré, de la Unión Africana, que tiene allí su sede), los generales sudaneses cambiaran de parecer.

Cálculo erróneo.

Finalmente, el jefe de la junta sudanesa tuvo la deferencia de darle una respuesta a Louise Arbour: ni hablar de comisión de investigación internacional en Darfur, ya que el gobierno israelí no permitió tampoco que una comisión de investigación semejante hiciera su trabajo en Beit Hanoun.

Los embajadores y embajadoras de los Estados de la Unión Europea, con silla en el Consejo, se rasgaron entonces las vestiduras.

Otro ejemplo de la esquizofrenia de Occidente. A mediados de enero de 2008, el ejército israelí cerró todos los accesos al territorio de Gaza donde viven, en menos de 360 km^2, un millón y medio de personas. Ya no pasa ningún camión de alimentos o de medicamentos. Se le cortó la electricidad procedente de Israel. En Karni, único punto de paso para las mercancías, los soldados israelíes interceptan los camiones cisterna. Ahora bien, sin fuel, sin gasolina, los generadores no pueden funcionar. En los hospitales, los refrigeradores están fuera de servicio. Los medicamentos se estropean. Y tienen que interrumpirse los tratamientos a pacientes que padecen cáncer.

Por «razones de seguridad», Israel se niega a transferir a Egipto, a Israel o incluso a algún otro país, a los enfermos gravemente afectados que no pueden ser atendidos en los hospitales de Gaza. Consecuencia: numerosos enfermos que habrían podido salvarse morirán.

Tomemos el caso de Karima Abu Dalal, de treinta y cuatro años, madre de cinco hijos, afectada por un cáncer (linfoma de Hodgkin) diagnosticado en 2006.[11] Había disfrutado de un trasplante de médula ósea y de un tratamiento de quimioterapia y radioterapia en Egipto, antes del cierre de la frontera en junio de 2007. Su salud había mejorado como consecuencia de dos ciclos intensivos de quimioterapia en agosto en Naplusa, en Cisjordania. Aun cuando tenía que continuar este pesado tratamiento en noviembre, sus múltiples peticiones de autorización para abandonar Gaza fueron rechazadas por las autoridades militares israelíes. En su caso, la Alta Corte de Justicia israelí rechazó una investigación presentada por la sección israelí de la ONG Médicos por los Derechos Humanos (Physicians for Human Rights). Los jueces de la Alta Corte consideraron que no tenían «ninguna razón para intervenir».[12]

Este tipo de juicio pone en peligro de muerte, o invalidez, además de a Karima Abu Dalal, a un gran número de otros enfermos que no pueden ser atendidos en la Gaza sitiada.

El gobierno de Tel-Aviv aduce, como justificación última del bloqueo, el disparo por parte de la resistencia palestina de cohetes Kassam hacia el sur de Israel.

Pero ¿quién ignora que el castigo colectivo de una población civil está prohibido por el derecho internacional? ¿Y quién ignora que con estas prácticas se da pábulo al odio a Occidente?

El Consejo de los Derechos Humanos convocó entonces una sesión extraordinaria para los días 23 y 24 de enero de 2008.

Su presidencia se reparte por turnos. Entre junio de 2007 y junio de 2008, le correspondía al embajador de Rumanía, Doru Romulus Costea, velar por ella.

Costea fue el intérprete oficial de Nicolas Ceaucescu. Con la caída del dictador, se convirtió milagrosamente a la democracia. Como gran cantidad de sus colegas diplomáticos procedentes del Este, Costea es también un fiel servidor del Departamento de Estado en Washington.

Del 23 al 27 de enero de 2008, se reunía en Davos el Foro Económico Mundial. El secretario general de la ONU, Ban Ki-moon, debía acudir allí el día 24.

Pero el 23 todavía se encontraba en Ginebra. A fin de dar más visibilidad y peso diplomático a la sesión extraordinaria del Consejo de los Derechos Humanos, los miembros del Movimiento de los No Alineados solicitaron a Costea que invitara al secretario general.

Respuesta de Costea: «*The answer is no. The Secretary-General should not dignify this meeting*» ('La respuesta es no. No es necesario que el secretario general confiera [con su presencia] ningún tipo de credibilidad a esta reunión').

Lo que equivale a decir que Occidente no veía ninguna objeción al castigo colectivo infligido a los palestinos.

Y los embajadores de la Unión Europea se negaron, en efecto, a condenar el bloqueo.

En cuanto a Su Excelencia, el elegante Warren W. Tichenor, embajador de Estados Unidos y propietario de una cadena de televisión en el sur de Texas, boicoteó sencillamente la sesión.

El lunes por la mañana del 3 de marzo de 2008, el Consejo de los Derechos Humanos de la ONU abrió su séptima sesión ordinaria en la gran sala de la Asamblea del Palacio de las Naciones en Ginebra.

En las pantallas de televisión, ese día nos llegaban imágenes insoportables de Gaza, masivamente bombardeada por la aviación y la artillería israelíes. Niños despedazados, mujeres abatidas, el número de muertos y de heridos graves no deja de agravarse cada hora que pasa. El ministro israelí de Defensa decidió, para los días siguientes, una operación militar de gran envergadura en Gaza, anunciando su intención de dividir el territorio en tres partes.

Habida cuenta de la densidad de población en este territorio y las condiciones del cerco, tal operación constituye una violación pura y simple del derecho humanitario en los términos de la IV Convención de Ginebra. El pretexto para organizar la operación había sido el disparo de cohetes Kassam por parte de los resistentes palestinos.

La Media Luna Roja palestina y la UNRWA [Agencia de Naciones Unidas para los Refugiados de Palestina en Oriente Próximo] contarán ciento sesenta y dos muertos palestinos, entre los cuales se encontraban cincuenta y ocho niños de menos de doce años, numerosas mujeres y tres bebés. Más de cuatrocientas personas tuvieron que ser amputadas de brazos o piernas a consecuencia de las bombas y los obuses.

Elegante y elocuente en su traje sastre negro, la secretaria de Estado francesa para los Derechos Humanos, Rama Yade, se sube a la tribuna hacia las 16 horas. Hace una larga exposición sobre «la Declaración Universal de los Derechos Humanos y la vocación de Francia». Según Rama Yade, Francia inventó los derechos humanos, le corresponde por tanto convertirse en su garante en cualquier lugar del mundo. Pero sobre los bombardeos que siembran el terror en Gaza y los niños abrasados, ni una sola palabra.

Hay que rendir un homenaje aquí al ministro de Asuntos Exteriores y Europeos, Bernard Kouchner. Éste goza con razón de un prestigio personal y una credibilidad internacional extraordinarios. En el seno del gobierno de François Fillon ocupa, como es sabido, una posición aparte. Sabiamente, se negó a participar en la comedia occidental del 3 de marzo en

Ginebra. Llegado por la mañana, se contentó con desayunar discretamente con Ban Ki-moon en el hotel Intercontinental antes de volverse a marchar a París.

En el curso de su intervención, Rama Yade abordó asimismo los acontecimientos que se habían producido durante la Conferencia Internacional contra el Racismo en Durban en 2001, y denunció «las desviaciones y los excesos» que habían marcado esa cumbre.

Una conferencia de prensa siguió a la exposición de la secretaria de Estado. A los periodistas que le preguntaron a qué «desviaciones» quería referirse, contestó con un candor desarmante: «No puedo contestarles, yo no estaba en Durban».[13]

Algunos minutos más tarde, Jamil Jade, corresponsal del Estado de São Paulo, le preguntó si iba a reunirse con Micheline Calmy-Rey. Respuesta de la señora Yade: «¿Quién es esa persona?». Pacientemente, un periodista le explicó: «Micheline Calmy-Rey es la ministra de Asuntos Exteriores de Suiza, el Estado anfitrión del Consejo de los Derechos Humanos».

Francia mantiene, ante las Naciones Unidas en Ginebra, una misión numerosa y altamente competente. Ante las otras delegaciones y la prensa, sus diplomáticos intentaron corregir la impresión desastrosa dejada por Rama Yade. Su argumento: si ella no mencionó las matanzas israelíes, es porque Francia es de todas maneras impotente para hacer frente a las actuaciones del gobierno de Tel-Aviv.

¡Craso error! El acuerdo de libre comercio entre la Unión Europea e Israel, firmado en junio de 2000, prevé, en su artículo 2, que el respeto de los derechos humanos es la condición previa para su entrada en vigor. Por otro lado, más del 65 por 100 de las exportaciones israelíes se dirigen a uno de los veintisiete Estados de la Unión Europea. En suma, frente a la violación flagrante de los derechos humanos por parte de Tel-Aviv, Francia habría podido, sin ningún problema, pedir la suspensión de tales importaciones.

Catorce días de suspensión... y los generales israelíes volverían, con toda seguridad, a entrar en razón.

Por la tarde del 21 de marzo de 2007, me encontraba en el octavo piso del edificio de cristal ahumado y de hormigón que alberga, en Ginebra, el Alto Comisariado de las Naciones Unidas para los refugiados. Debatía con el alto comisario Antonio Gutiérrez.

Afuera, nevaba. En la avenida de Francia, el hielo paralizaba el tráfico.

Hablábamos de los bloqueos del Consejo de los Derechos Humanos que, en ese momento, celebraba su tercera sesión ordinaria en el Palacio de las Naciones, a algunos pasos del Alto Comisariado.

Pregunté al alto comisario: «¿Por qué tantos representantes ilustrados e inteligentes de los países del Sur se niegan a colaborar con los occidentales en materia de derechos humanos?».

Antiguo primer ministro de Portugal, antiguo presidente de la Internacional Socialista y católico practicante, Antonio Gutiérrez es un hombre de espíritu independiente, caluroso y sutil. Su mirada se detuvo en el Palacio de las Naciones, y luego me dijo: «Es el recibo que nos pasan por Irak y Palestina».

2

CINISMO, ARROGANCIA Y DOBLE LENGUAJE

En septiembre de 2000, los jefes de Estado y de gobierno de los ciento noventa y dos Estados miembros de las Naciones Unidas se reunieron en Nueva York para proceder al inventario de los conflictos y los problemas no resueltos que afligen al planeta en el umbral del nuevo milenio. A partir de ese inventario, elaboraron la lista de los *Millennium goals* ('los objetivos del Milenio') que se impone llevar a cabo de aquí a 2015.

Ésta es la lista:

I. Erradicar la extrema pobreza y el hambre.
II. Garantizar a todos los niños en edad escolar una educación básica.
III. Promover la igualdad entre los sexos y la autonomía de la mujer.
IV. Reducir la mortalidad infantil.
V. Mejorar la salud de las madres.
VI. Combatir el sida, la malaria y otras epidemias.
VII. Garantizar la protección del entorno.
VIII. Establecer un pacto mundial para el desarrollo.

En 2010 resulta que ninguno de los problemas inventariados está en vías de resolverse. Muy al contrario. Varios de ellos —autonomía de las mujeres, epidemias, escolaridad, extrema pobreza y desnutrición— siguen empeorando.

En 2000, la FAO calculaba en 785 millones las personas grave y permanentemente desnutridas. En 2008, son ya 854 millones. Cada cinco segundos muere de hambre en el mundo un niño de menos de diez años.

Donde la miseria aumenta con mayor rapidez es en Extremo Oriente y en el África negra. En Camboya, menos de la mitad de la población tiene acceso regularmente al agua potable. De cada diez camboyanos, sólo dos se benefician de servicios sanitarios adecuados.[1]

En la mitad de los países del África subsahariana, la renta *per capita* se reduce anualmente una media del 0,5 por 100 desde 2000.

Sólo treinta y dos de los ciento cuarenta y siete países que poseen estadísticas fiables sobre la mortalidad infantil están en vías de reducir la plaga.

En cuanto al objetivo n° V (mejorar la salud de las madres), la UNICEF escribe sencillamente: «En Asia, veintiocho países no lo conseguirán» (*countries off track*). En el África subsahariana, alrededor de quinientas mil mujeres murieron en el parto en 2007.

Las perspectivas apenas son más halagüeñas en lo que concierne a la consecución del objetivo n° VI (el acceso a las atenciones médicas y la lucha contra las epidemias). En 2008, mil setecientos millones de seres humanos no tenían acceso a atenciones sanitarias primarias (medicamentos básicos, vacunación infantil, atenciones hospitalarias, etc.).

La OMS estima, además, que alrededor del 70 por 100 de los medicamentos vendidos en África occidental son imitaciones fraudulentas sin ninguna clase de garantía de seguridad o de calidad.

Todavía en 2008, 39,5 millones de personas estaban infectadas por el virus del sida. En 2004 eran 36,9 millones. Tan sólo durante el año de 2006, se registraron 4,3 millones de nuevas infecciones. A causa del precio de venta demasiado elevado impuesto por los gigantes occidentales de la farmacia, la mayoría de los enfermos del hemisferio sur no tiene acceso a las triterapias.

El sida afecta sobre todo a los jóvenes adultos. Por ese motivo, la fuerza de trabajo de los países del Sur se ve gravemente menoscabada. En Botswana, el virus mató a la mitad de los trabajadores rurales.

Los adultos infectados dejan con frecuencia tras de sí a padres de avanzada edad e hijos jóvenes, privados en adelante de medios de subsistencia. La OMS confirma: «En 2003, doce millones de niños quedaron huérfanos en África meridional [a causa del sida] [...]. Esta cifra ascenderá hasta dieciocho millones en 2010».[2]

Dado que la mayoría de las personas afectadas por el sida son jóvenes adultos que, normalmente, deberían trabajar, la producción agrícola retrocede dramáticamente en los países con un alto porcentaje de infectados.

La FAO escribe: «La extensión de la epidemia VIH/sida se ha convertido rápidamente en un obstáculo capital en la lucha contra el hambre y la miseria».[3]

En resumen, por lo que respecta al pretendido combate contra las epidemias, el hambre, la extrema pobreza, la discriminación de las mujeres o la ausencia de escolaridad, no se ha realizado ningún progreso sustancial desde el año 2000.

Porque las desastrosas políticas que conducen al subdesarrollo creciente de los países más pobres, tal como son practicadas por las potencias occidentales y secundadas por sus mercenarios de la OMC y el FMI, siguen haciendo estragos.

Cada cual, en efecto, tendría que ser muy consciente de que ninguno de los «objetivos del Milenio» puede ser alcanzado sin que se entable, especialmente, una negociación multilateral sobre los precios internacionales de los medicamentos, los términos del intercambio, las transferencias de tecnología, las patentes, etc.

Ahora bien, en ocho años, nada ha sido ni siquiera apenas esbozado desde este punto de vista entre Occidente y el Sur.[4]

Por eso, a los ojos de los pueblos del Sur, la cumbre del Milenio se presenta como un puro ejercicio retórico, una nueva manifestación del doble lenguaje, el cinismo y la mala fe de Occidente.

¿A qué es debida esta ceguera? ¿A qué es debida esta tranquila arrogancia cuando cientos de millones de hombres repudian este doble lenguaje e impugnan la hegemonía moral de Occidente?

Aventuro una hipótesis. La caída de la Unión Soviética y el descrédito arrojado sobre la idea comunista abrieron un agujero negro.

El desmoronamiento (evidentemente necesario) del muro de Berlín enterró con él todas las perspectivas de emancipación, y derrotó la idea misma de protesta.

Aimé Césaire escribió: «Vivo en un querer oscuro, vivo en una sed irremediable».[5] Occidente no entiende ni esta aspiración de los pueblos del Sur a un orden del mundo equitativo y justo, ni su determinación a conseguir sus fines. La idea misma de que otro orden del mundo, otra memoria y otro querer son posibles ha quedado en él, a partir de entonces, desacreditada.

Por eso, nunca como ahora la discrepancia entre las declaraciones y las prácticas reales había alimentado tanto el odio.

CUARTA PARTE

NIGERIA: LA FÁBRICA DEL ODIO

I

LOS PADRINOS DE ABUJA

El avión procedente de Europa aterrizó en Abuja a medianoche. La capital de Nigeria está situada en una vasta meseta rocosa a seiscientos metros de altitud, en el centro geográfico del país. En la época del harmatán, en pleno mes de enero, la temperatura a esta hora es de 30 grados. El aire es seco. Un viento cálido barre las pirámides de granito negro de la meseta.

El aeropuerto intercontinental, construido en hormigón y cristal anaranjado, está casi desierto. Pierre Helg, el sutil y muy activo embajador de Suiza, me espera a la salida.

Cincuenta kilómetros separan el aeropuerto de los primeros barrios de la capital.

La noche es oscura, cálida y se ve animada por miles de sombras que se desplazan a ambos lados de la autopista.

Nueve horas de viaje desde Amsterdam. Dormito en el coche.

Llegados a Mabushi, el primer barrio al norte de la ciudad, Pierre Helg me despierta: «¡Mira!». Cientos de camiones, de turismos, de tractores, de autobuses escolares, de máquinas de obras y otros vehículos a motor de todo tipo están aparcados a lo largo de la carretera. La cola parece interminable.

En la noche negra, los vehículos avanzan a una velocidad de caracol, centímetro a centímetro. A lo lejos, distingo el único surtidor de gasolina, iluminado por neones blancos. Más de un centenar de conductores, procedentes de todo el país, extenuados de fatiga, fatalistas, esperan su turno. «Este espectáculo se repite de norte a sur, de Lagos a Kano, de Ibadán a Malduguri y a Enugu —me dice el embajador—. En todas partes, los conductores pasan buena parte de su noche a la espera, con la hipotética esperanza de poder llenar el depósito de gasolina...».

No salgo de mi asombro: octavo productor de petróleo del mundo y primer productor africano, Nigeria padece una carencia aguda y crónica de gasolina. Ésta hace perder cada día a su economía millones de horas de trabajo.

Nigeria exportó como media, en 2007, dos millones seiscientos mil barriles de crudo al día. Pero, al mismo tiempo, se ve obligada a importar la mayor parte de los productos petroleros refinados de los que depende su economía.

Las tres principales refinerías del país, situadas en Port Harcourt, Warri y Kaduna, están fuera de servicio. En 2006, se gastaron más de mil millones de dólares para reparar estas refinerías. Pero no hay nada que hacer.

El país posee cinco mil kilómetros de oleoductos y gasoductos. Los principales, especialmente los que van de Suleja a Warri, de Port Harcourt a Enugu y de Port Harcourt a Atlas Cove, son habitualmente saboteados.[1]

La autopista se interrumpe en el primer barrio, en Mabushi. Nos sumergimos en una calle oscura, en dirección al centro de la ciudad. De repente, piedras esparcidas en el asfalto obligan al coche a disminuir la velocidad y luego a zigzaguear. En la luz de los faros aparece un grupo de policías, con uniformes azul oscuro gastados y la kalachnikov en la mano, la National Police Force de Nigeria.

El coche diplomático pasa sin dificultades. Pero, a nuestra izquierda, paradas al borde de la cuneta que sirve de alcantarilla a los habitantes de las chabolas de los alrededores, tres camionetas sobrecargadas de pepinos, tomates, ñames, batatas, raíces de mandioca y judías esperan ser registradas.

Un coche japonés blanco conducido por un europeo nos adelanta. El conductor aminora la marcha, baja el cristal y echa al suelo un puñado de *nairas* (la moneda nacional). Los policías se abalanzan sobre ellas.

En cuanto a los chóferes (africanos) de las camionetas, tendrán que esperar aún largo rato, quizá horas, para negociar el pago de una contrapartida.

«Alrededor de Abuja, hay decenas de cordones policiales de este tipo —me dice Pierre Helg—. Decenas de miles probablemente en todo el país. Aquí, en la meseta, la gente cultiva legumbres, piñas y naranjas. Las venden, a partir del amanecer, en el mercado de Wuze o de Garki. Pero a causa de los cordones, los precios de sus mercancías se doblan, e incluso a veces se cuadriplican o quintuplican antes de llegar a los mercados [...]. A los policías sólo se les paga de manera irregular. Hay que entenderles. Ellos también tienen familias que alimentar».

Abuja es una ciudad casi tan cara como Tokyo, Ginebra o Nueva York. Los ocho mil kilómetros cuadrados del distrito federal albergan cientos de aldeas y pequeñas ciudades agrícolas, ganaderías de vacuno y cebúes, granjas de pollos, y plantaciones hortícolas y frutales. A causa de la rapiña policial, el precio de todos los productos aumenta enormemente antes de llegar a los mercados de Garki o de Wuze I y II.

Consecuencia: las ganancias del campesino, el hortelano y el ganadero del distrito federal no dejan de ser miserables, mientras que el consumidor de Abuja paga precios exorbitantes.

La National Police Force of Nigeria está formada por ciento cuarenta mil mujeres y hombres. Su divisa es: «*Serve and protect*».

En la práctica, las cosas son ligeramente diferentes. La prensa se lamenta: «Los *checkpoints* sirven para quitar dinero a los automovilistas [...]. Los *hold-up* policiales, las extorsiones en las carreteras y en las ciudades, han alcanzado una proporción intolerable. Otros delitos [cometidos por policías] van igualmente en aumento: el secuestro, el robo, el asesinato».[2]

La corrupción hace estragos en las jerarquías. El suboficial de rango más alto de la policía nacional lleva el título de inspector general. El penúltimo hasta la fecha en ser detenido y comparecer ante la justicia. Se confiscó su fortuna (al menos la parte depositada en Nigeria). Tuvo que restituir al Estado una suma de ciento treinta y dos millones de dólares... Su sucesor se llama Ehindero Sunday. Se ha propuesto una tarea hercúlea: la de transformar una banda de saqueadores en una fuerza de protección de los ciudadanos.

Media hora más de camino con el calor del viento harmatán, y nuestro coche gira hacia una majestuosa avenida de palmeras reales. Inspección puntillosa a la entrada del parque por parte de los guardias privados, jóvenes con uniformes impecables. Luego el coche se detiene por segunda vez ante la lujosa entrada del hotel Transcorp-Hilton.

El hotel de gran lujo pertenece a la Transcorporation of Nigeria, que es propiedad de la familia del presidente de la República, el general Olusegun Obasanjo.[3]

Bajo el cielo gris y plomizo del viento harmatán, Abuja es un enmarañamiento de autopistas urbanas, cinturones periféricos, altos edificios administrativos, oficinas, villas suntuosas (con piscina, garaje, céspedes cortados al raso, cámaras de vigilancia y perímetro amurallado), palacetes bancarios, cuarteles, hipódromos, lugares para el desfile, gigantescas mezquitas de cúpulas doradas... También se ven iglesias, una catedral, hoteles de lujo y restaurantes. Y, sobre todo, interminables barrios menesterosos. En el centro de la ciudad, predomina el hormigón gris. En los barrios, las chapas onduladas, las tablas de madera y los ladrillos albergan a la muchedumbre anónima de los pequeños funcionarios, los parados famélicos, las familias pobres y los empleados domésticos.

La capital se despliega en un área de 250 km^2. ¿Cuántas personas viven allí? La estimación más plausible indica tres millones de habitantes. Pero cada semana afluyen nuevos inmigrantes.

El paisaje que rodea Abuja es magnífico, con esos picos rocosos que surgen del desierto negro de la meseta. Escasos árboles, muchos matorrales y dos ríos, el Usama y el Guara, interrumpen la monotonía de las piedras. En la estación de las lluvias, una alfombra de hierba y flores esplendorosas recubre las colinas.

Fue en 1976 cuando el gobierno del general Murtala Mohammed decidió trasladar la capital federal de Lagos hacia el centro exacto del país, en las mesetas de Jos.

La idea consistía en erigir una «capital nueva», que manifestara «la unidad y la grandeza de la nación». Pero, cuidado, no tiene nada que ver con Brasilia o Shandigar: aquí no hay ninguna huella de un Niemeyer o un Le Corbusier.

Abuja está aquejada de horror urbanístico. La arrogancia de sus desmesuradas construcciones de hormigón gris es mortificante. Toda la violencia y el desprecio que, desde 1966, los diferentes regímenes militares manifestaron hacia la gente común, se exhibe en la capital nigeriana. La discriminación agresiva se encarna en esas torres presuntuosas, esas villas de un lujo inaudito, y los sórdidos e interminables suburbios de la periferia. En Abuja, la arrogancia se ha vuelto de piedra.

Entre las «zonas centrales» —el nombre oficial de los barrios administrativos y los barrios residenciales para directivos y ejecutivos— y el océano de chabolas que componen la lejana periferia, la circulación es difícil y los transportes precarios.

Hasta octubre de 2006, lo que aseguraba el transporte de los trabajadores y las cohortes de parados a la búsqueda de un empleo incierto eran fundamentalmente las motocicletas y las mototaxis. Pero, en 2006, el ministro encargado del distrito federal emitió un decreto que prohibía las mototaxis. ¿La razón aducida? Las mototaxis eran demasiado contaminantes y demasiado ruidosas. El ministro decidió, por tanto, sustituirlas por un servicio de autobuses.

Un pequeño detalle: la compañía de autobuses que, en la actualidad, se encarga en exclusiva del transporte cotidiano de cientos de miles de personas de la periferia hacia las zonas centrales, y otra vez de vuelta, pertenece a un pariente del ministro.

Fue el temor obsesivo a que el país se fragmentase lo que inspiró el proyecto de instalar la capital de Nigeria en Abuja. Para comprender la situación, es indispensable hacer un repaso histórico.

En la noche del 30 de septiembre al 1 de octubre de 1960, la historia de Nigeria dio un vuelco. A medianoche, fue proclamada la independencia. Una marea humana invadió las calles de Lagos. A lo lejos, en el puerto, los últimos soldados de la guarnición británica subían a bordo de los barcos. Cientos de miles de voces cantaban:

«Nigeria, Nigeria,
Nigeria is free today».

Un intelectual perteneciente a la etnia ibo, dotado de un carisma excepcional y de una clara visión estratégica del futuro, Nnamdi Azikiwe, se convirtió en el primer presidente del Estado independiente. Inmediatamente, tuvo que abordar un problema: el estallido del territorio, la ruptura norte-sur, el enfrentamiento entre musulmanes y cristianos. Entre los principales pueblos, amenazaba la guerra fratricida.

Azikiwe impuso la República federal.[4]

En el millón de kilómetros cuadrados, o casi, con que cuenta Nigeria, pueblos poderosos (fulani, hausa, ibo, yoruba), portadores de magníficas culturas y de herencias simbólicas, artísticas y religiosas pluriseculares, despliegan su memoria colectiva y reivindican su identidad. Más de doscientas etnias menos numerosas, aunque con una identidad igualmente afianzada, pueblan asimismo el territorio. A fin de limitar los conflictos interétnicos, combatir la pretensión hegemónica de las grandes etnias y garantizar la protección de los pueblos minoritarios, la elección del federalismo era totalmente razonable.

En 1966, un primer golpe de Estado puso fin al régimen constitucional e inauguró la serie ininterrumpida de las dictaduras militares. Éstas fueron vaciando progresivamente de sustancia las instituciones federales.

El hombre que más fuertemente marcó Nigeria en estos veinte últimos años, el general Olusegun Obasanjo, es un cristiano converso (*reborn Christian*) de confesión anglicana y de origen yoruba. Su carrera: comandante de las tropas federales durante la guerra de Biafra; opositor encarcelado y torturado bajo el régimen del dictador nordista Sani Abacha; y, finalmente, jefe del Estado entre 1999 y mayo de 2007. Actualmente, sigue siendo el personaje más poderoso del país.

Con más de setenta años, este hombre de cuerpo robusto rebosa de alegría de vivir y pasión carnicera del poder. Es voluble y colérico. Tras sus finas lentes, sus negros ojos centellean de inteligencia, de vitalidad y también de humor. Lleva el gorro de algodón coloreado cuya forma recuerda al gorro frigio, el amplio bubú de colores ocre y pardo, y las sandalias decoradas con motivos tradicionales de los jefes yoruba. Me reuní con él: es un personaje verdaderamente interesante.

En 1999, el general Obasanjo hizo legalizar su toma de poder mediante la instauración de una nueva República.[5]

El jefe del Estado controla sobre todo tres instancias específicas de Nigeria cuyo poder es muy superior a todos los ministerios y a todas las instituciones reunidos: la Comisión Electoral Nacional, la Anti-corruption Agency ('la Agencia Anticorrupción') y la Economic and Financial Crimes Commision ('Comisión para los Delitos Económicos y Financieros').

La Comisión Electoral decide quién puede presentarse a las elecciones (nacionales, regionales o locales) y quién —bajo cualquier pretexto jurídico— verá rechazada su candidatura. La Agencia Anticorrupción y la Comisión para Combatir los Delitos Económicos y Financieros pueden arruinar la carrera de cualquier opositor al acusarlo de corrupción o de delitos económicos, encarcelarlo y confiscar su fortuna. El PDP[6] domina esas tres instancias.

La junta de padrinos militares, que ejerce el poder en la sombra, semeja una charca de cocodrilos. Y es que, hasta 2005, Obasanjo ejerció, además de sus funciones como jefe del Estado, las de ministro del Petróleo...

Los otros cocodrilos lo obligaron entonces a la transparencia en lo concerniente a las rentas del oro negro. Hay que decir que estas rentas son enormes. Según un cálculo efectuado por *Le Monde*, los padrinos nigerianos habrían cobrado, durante los cuarenta últimos años, 352 mil millones de petrodólares. Esta suma es cuatro veces superior al montante acumulado por la ayuda pública al desarrollo pagada por los Estados occidentales a los Estados del África subsahariana durante ese mismo periodo.[7] Durante el decenio 1997-2007, los ingresos procedentes de los hidrocarburos reportaron a Nigeria, y por tanto a los padrinos, entre diez y doce mil millones de dólares estadounidenses cada año.

Abro aquí un paréntesis sobre el petróleo nigeriano.

Nigeria, como dijimos, es actualmente el octavo productor del mundo (2,6 millones de barriles exportados por día en 2007). Sus reservas se estiman en treinta y seis mil millones de barriles (el 3 por 100 de las reservas mundiales). Por lo que respecta al gas, sus reservas se evalúan en cinco billones doscientos mil millones de metros cúbicos (el 2,9 por 100 de las reservas mundiales). La explotación del petróleo se efectúa en virtud de un sistema contractual especialmente beneficioso para las compañías extranjeras, los *production sharing agreements*. Las sociedades anticipan al Estado los gastos del *drilling* ('la exploración de nuevos campos'), la explotación, el transporte y la comercialización. Luego comparten los beneficios de la venta con el Estado. Pero este reparto sólo se produce después del reembolso y la amortización de todas las inversiones efectuadas por las sociedades.[8] Se calcula que, finalmente, Estado percibe entre el 30 y el 50 por 100 del precio de venta.

Pero ni el gobierno de Abuja ni las compañías extranjeras aceptan divulgar los términos exactos de los *production sharing agreements*.[9]

Bajo el eslogan «Publicad lo que pagáis», la ONG internacional Global Witness intenta desde hace años conseguir el fin de la opacidad financiera de las compañías petroleras y gaseras. Sin éxito. En cuanto al Banco Mundial, realizó en 2007 diferentes auditorías en los sectores petrolero y gasero, pero se guarda bien de publicar sus resultados.

El petróleo nigeriano tiene una calidad netamente superior al de Oriente Medio, por ejemplo. En especial, sus capas yacen más cerca de la superficie, y su tratamiento es menos caro. Su tasa de azufre es baja, una ventaja inestimable para las refinerías —situadas fuera del continente—, en la medida en que están sometidas a normas medioambientales cada vez más estrictas.

El ejército nigeriano es una formación social compleja y opaca. Militarmente, da prueba de una gran eficacia tanto en materia de represión interior como en el mantenimiento del orden fuera de las fronteras del país a cargo de la ONU, la Unión Africana o la Comunidad Económica de Estados de África Occidental (CEDEAO). La corrupción lo afecta gravemente, y está fortalecido por un orgullo patriótico desmesurado.

Aunque perpetuamente atravesado por odios personales feroces y conflictos interétnicos y religiosos ancestrales, su alto mando sólo se dividió en una sola ocasión: en 1967, durante la secesión proclamada por los ricos Estados petroleros del sureste.

2

EN LA ÉPOCA DE LA GUERRA DE BIAFRA

La guerra de Biafra ilustra de una manera paradigmática el desprecio que manifiesta Occidente hacia las poblaciones de Nigeria.

En el momento de la independencia, en 1960, los campos petrolíferos y gasíferos, los yacimientos *offshore*, estaban firmemente dominados por las compañías petroleras y gaseras anglosajonas y holandesa. Nnamdi Azikiwe intentó aflojar el torniquete: acordó concesiones a otras sociedades europeas, especialmente a la sociedad francesa Elf.

El golpe de Estado militar del coronel Yacubu Gowon puso fin, el 29 de julio de 1966, a la concesión de Elf.

En París, el general De Gaulle, furioso, se negó a aceptar la evicción de la compañía petrolera francesa. Ordenó entonces a sus servicios secretos, que disponían de una importante base en el vecino Gabón, la organización de la defensa de los «intereses estratégicos de Francia».[1] Fue así como, el 30 de mayo de 1967, el gobernador militar de la región del este, el general Ibo Odumegwu Ojukwu, proclamó la secesión. La región oriental (limitada al norte por Benue, al oeste por Camerún, al este por el río Níger y al sur por el golfo de Guinea) alberga la mayoría de los campos petrolíferos más ricos. Al territorio secesionista, Ojukwu le dio el nombre de «Biafra». Capital: Enugu.

Catorce millones de hombres, mujeres y niños, mayoritariamente pertenecientes a los pueblos ibo o allegados, habitan esta región. Ahora bien, la independencia del nuevo Estado había sido obra fundamentalmente de los servicios secretos franceses y la inmensa mayoría de la población de Biafra era hostil a la secesión.

En Ginebra, Elf había encargado a una empresa de relaciones públicas, Markpress, que desarrollara una campaña «explicativa» dirigida a la opinión pública mundial. La tesis de Markpress: en Nigeria, los militares musulmanes persiguen a las poblaciones civiles cristianas; era necesario que éstas buscaran refugio y protección en un nuevo Estado, Biafra. Su presidente, el general Ojukwu, héroe admirable, defiende la democracia contra la dictatura del coronel Gowon.

¡Mentira!

Ojukwu habría sido pagado (suntuosamente) y armado por Francia y Elf; Gowon, por Londres y Shell.

Oficiales mercenarios franceses, bajo el mando del capitán René Faulques, tenían a sus órdenes a los soldados de Ojukwu.

En 1956, Faulques había sido uno de los responsables del centro de tortura de la villa Susini en Argel. Al haber participado en el *putsch* de los generales contra De Gaulle, desapareció en abril de 1961.[2]

En septiembre de 1961, Faulques reapareció en Katanga. La rica provincia minera del Congo se había separado en julio de 1960, y proclamado la independencia del «Estado de Katanga». De lo que se trataba, en el fondo, era de sustraer al control del gobierno nacionalista de Patrice Lumumba las riquezas mineras y salvaguardar los monopolios de las sociedades occidentales.

Faulques no llegó solo a Biafra. Un grupo de treinta y cinco oficiales franceses lo acompañaba. Eran todos antiguos miembros de la OAS (Organización del Ejército Secreto); todos declaraban luchar en favor de la civilización occidental, de la cristiandad y de la «democracia». Todos estos oficiales, antiguos golpistas, habían sido degradados de su escalafón y estaban buscados oficialmente por la policía francesa.

Para el transporte de municiones y armas, la evacuación de los heridos de alta graduación y sus familias y el desplazamiento de mercenarios, Elf instaló dos puentes aéreos: uno a partir de Libreville, y el otro de Abidjan.[3]

La guerra duró treinta meses. Se produjeron espantosas carnicerías.

Balance: dos millones de muertos, millones de mutilados, cientos de ciudades y aldeas abrasadas.

Luego los señores de Elf y los de las compañías competidoras (anglosajonas y holandesa) se reconciliaron.

Así fue como se firmó un nuevo acuerdo sobre el reparto del botín petrolero y gasero nigeriano en un hotel de gran lujo parisino, el 12 de enero de 1970.[4]

Entonces, se terminó la guerra.

Tras un corto exilio en Gabón, Ojukwu y sus principales generales regresaron a sus villas de Lagos. El alto mando les perdonó este extravío pasajero.

En cuanto a la población mártir de Biafra, tuvo que resignarse a enterrar y llorar a sus muertos.

3

LA MASCARADA ELECTORAL

Occidente, como es sabido, funda su superioridad moral y su pretensión de universalidad en la «democracia» y los «Derechos Humanos». Observémoslo más de cerca.

En Nigeria, el procónsul de Occidente es el alto comisario (embajador) británico.[1] En la primavera de 2007, se llamaba Richard Gozney. Es un intelectual seco y brillante, de simpática sonrisa. Su influencia en Nigeria era considerable. Pasaba por ser el hombre mejor informado de la capital.

Le pregunté: «¿Cuántos generales forman parte de esta junta aparentemente todopoderosa?».

Gozney: «Una veintena».

Más tarde, Pierre Helg me dirá: «Gozney es el único de nosotros [diplomáticos occidentales] que posee el número de teléfono portátil personal de cada uno de ellos».

Los señores de Shell, de British Petroleum, de Chevron, de Elf y de Agip que, en el delta del Níger, explotan las fabulosas riquezas petroleras y gaseras del país, están obligados a tratar exclusivamente con esta junta agazapada en la sombra.

Pero, en esta primavera de 2007, el procónsul debía resolver un grave problema: Olusegun Obasanjo quería asegurarse absolutamente un tercer mandato presidencial. Preocupado por preservar la fachada «democrática» de Nigeria, el procónsul se oponía a ello de forma rotunda. Le exigió, pues, que se sometiera a la Constitución, que limita a cuatro años renovables una sola vez el mandato presidencial.

Durante un desayuno privado, el procónsul me repitió lo

que no dejaba de decir públicamente: «*We want free, transparent elections*».

Pero detrás de estas hermosas palabras se ocultaba un sistema de preselección bien rodado a lo largo de cuarenta años.

Al mismo tiempo, el procónsul velaba, en efecto, por el avance de las negociaciones entre las diferentes facciones de la junta, tras las puertas cerradas de Aso Rock.[2]

Porque, ese año, había sido previsto que el poder pasara de manos de los generales yoruba y cristianos del oeste a las de los generales musulmanes del norte. Pacíficamente. Sin golpe de Estado, sin asesinatos ni derramamiento de sangre.

Una vez que las diferentes facciones de la junta se pusieron de acuerdo entre ellas —sobre el reparto de las prebendas petroleras y gaseras, sobre la distribución de los puestos del alto mando del ejército y del gobierno (y sobre los diferentes puestos de gobernador de los Estados miembros de la Federación)—, el procónsul, tras consultar con los principales directivos de las compañías petroleras extranjeras, ratificó el acuerdo.

Las «elecciones» podrán celebrarse entonces.

Y de hecho, en abril de 2007, sesenta y cinco millones de nigerianas y nigerianos «eligieron» a sus diputados al Senado y a la Cámara de Diputados, los gobernadores de los treinta y seis Estados miembros de la Federación, sus representantes en las asambleas regionales y el presidente de la República.

Aunque controle todas las instancias federales y veintiocho de los treinta y seis Estados miembros de la Federación, el PDP de Obasanjo no es un partido único. Existen partidos de oposición, que están asimismo presididos por generales. Ejemplo: el All Nigerian People Party (ANPP) —el partido más poderoso de la oposición— está dirigido por el sutil general nordista Muhammadu Buhari.

El PDP no es un partido monolítico: está minado por rivalidades; lo desgarran conflictos de intereses, religiosos y étnicos. Así es como Obasanjo y su enemigo más coriáceo, el general Atiku Abubakar, pertenecen sin embargo ambos al PDP.

La periodista británica Kaye Whiteman describe así el estado de ánimo en el que se encontraban los sesenta y cinco millones de electoras y electores la víspera del escrutinio de abril de 2007: «Para la mayoría de los nigerianos, la idea de elecciones libres y limpias es una utopía. Desde la década de 1960, los escrutinios se hicieron merecedores de una firme reputación de fraude, de intimidación y de violencia. La única elección cuya limpieza se admitió fue la ganada por el jefe M. K. Abiola en 1993, pero fue anulada poco después por el golpe de Estado militar de Ibrahim Babangida. Incluso bajo la nueva administración civil de la nueva República, inaugurada en 1999, los viejos hábitos siguen resistiendo durante mucho tiempo a su desaparición. Los barones del ejército, que se unen cada vez que ven amenazado su sistema, hacen pensar en Borbones que no hubieran "ni aprendido nada ni olvidado nada"».[3]

The Observer escribe por su lado: «La esperanza que habían depositado millones de nigerianos en que estas elecciones —que se suponía que iban a poner fin a una terrible serie de golpes de Estado militares— marcarían una ruptura definitiva con las prácticas de corrupción y las políticas tribalistas que empobrecen el país, recibió una bofetada [*a blow*]».[4]

En cientos de ciudades, villas y aldeas, no se instaló ninguna urna, ningún centro electoral abrió sus puertas. Los electores que protestaban fueron sistemáticamente dispersados y apaleados por la policía.

Al recordar estas elecciones, Wole Soyinka, Premio Nobel de Literatura, también nigeriano, constata secamente: «En Nigeria, lo que está mancillado es la democracia [...]. Nuestra nación no irá a ninguna parte mientras los padrinos sigan pudiendo decidir cuáles son las leyes que se aplican [...]. En Nigeria, la política es nauseabunda».[5]

Serge Michel siguió las elecciones de 2007 para *Le Monde*

en Ibadán, en el estado de Oyo. El potentado local es un jefe tradicional yoruba de setenta y cinco años, aliado de Obasanjo, el rey Lamidi Adedibu. El periodista confirmó que, en algunos barrios considerados electoralmente «poco seguros» de la ciudad, decenas de sicarios habían atacado las mesas electorales, robado y destruido las urnas, mientras que, en otras mesas, los policías controlaban qué papeletas introducían los electores en la urna.

Algunos candidatos de la oposición fueron atacados y heridos, e incluso asesinados.

Escuchemos a Serge Michel: «Más tarde, durante la jornada electoral, un destacamento de la segunda división del ejército nigeriano, acampado en Ibadán, hizo una incursión educada en el recinto del rey para recuperar algunas urnas llenas de papeletas que se encontraban allí. No es la primera vez que se apresta a recuperar objetos incongruentes: a mediados de enero, se trataba de seis máquinas para fabricar las tarjetas de los electores».[6]

A veces, asistimos a inversiones espectaculares de la situación. Pero el potentado siempre consigue conservar el control. Serge Michel: «El gobernador [del estado de Oyo], elegido tres años antes según los mismos métodos, un tal Rashidi Ladoja, estaba harto de pagar al padrino una tasa mensual de dos millones de dólares y de nombrar a los amigos de este último para los puestos clave del estado de Oyo. Cortó los puentes. Furibundo, Lamidi Adedibu consiguió hacerle destituir».

Al término de esta mascarada, el sábado 21 de abril de 2007, Umaru Musa Yar'Adua, de cincuenta y seis años, insulso gobernador del estado de Katsina, fue elegido presidente de la República por veinticinco millones de votos. Su contrincante, el general Muhammad Buhari, reunió siete millones de sufragios. Yar'Adua era el candidato de Obasanjo y del PDP. Su hermano, el general Shehu Musa Yar'Adua, había sido durante largos años el consejero militar del padrino de Aso Rock.

Max Van Berg, el jefe de la misión de los observadores despachados por la Unión Europea, dirá: «Estuve allí en 2003, las elecciones no fueron buenas. Luego, hemos trabajado y verdaderamente esperado con los nigerianos que habría allí una transición democrática. A pesar de todo eso, una vez más, nos encontramos con elecciones marcadas por el fraude e innumerables irregularidades. Eso hace verdaderamente daño».[7]

El informe Van Berg es terrible. Presentado oficialmente en Bruselas a finales de mayo de 2007, confirmó que en ocho de los treinta y seis estados, el escrutinio no pudo sencillamente celebrarse: policías, soldados y milicias privadas impidieron que decenas de miles de electoras y de electores se aproximasen a las mesas electorales. La policía mató a decenas de personas en las barreras, en el interior de las oficinas electorales o con ocasión de los incidentes que acompañaron el transporte de las urnas hacia los centros electorales regionales.

En la mañana del 29 de mayo de 2007, una interminable columna de policías encaramados en motos relucientes, importantes políticos, generales y jefes tribales sentados en Mercedes blindados se dirigía hacia Eagle Square, en el centro de Abuja. Los francotiradores vigilaban desde los tejados. Un triple cordón de soldados pesadamente armados hacía frente a una escasa muchedumbre. Los militantes de los partidos de la oposición y los movimientos sociales habían anunciado que intentarían impedir la celebración de la ceremonia de jura. Pero su comitiva había sido dispersada a porrazos antes incluso de que pudiera llegar al centro de la ciudad.

Para ese 29 de mayo, los sindicatos habían proclamado, en efecto, una huelga nacional. En el centro de la tribuna, perdido entre los hombres importantes, Umaru Musa Yar'Adua sonreía débilmente. En la cincuentena, de estatura media, endeble, el rostro surcado por chirlos y mirada penetrante, iba vestido ese día con un bubú y un tarbuch blanco inmaculado, el pecho ceñido por el fajín presidencial de colores verde y blanco. Prestó juramento a la Constitución.

La brisa de la mañana agitaba centenares de banderas verde y blanco que rodeaban Eagle Square como un bosquecillo protector. Con la ácida ironía de los yoruba, Wole Soyinka comentaría así el acontecimiento: «Supongo que todo el mundo estará de acuerdo en el hecho de que lo que se hizo pasar por elecciones en Nigeria, en abril de 2007, constituyó un abuso del término "democracia"».[8] Sobre Yar'Adua, añadió: «Es una marioneta».[9]

4

LA CORRUPCIÓN COMO MEDIO DE CONTROL

En el hemisferio sur, Occidente reina mediante la corrupción. El método es costoso, pero ofrece ventajas extraordinarias. Y en primer lugar, la de garantizar una dominación eficaz. Destruye, efectivamente, el vínculo de confianza entre los ciudadanos y su gobierno. Gangrena y debilita el Estado. Ahora bien, un Estado débil, desacreditado e ineficaz es la pareja soñada por las sociedades transcontinentales occidentales, tanto más si el 90 por 100 de los recursos presupuestarios del país más poblado de África proviene del gas y el petróleo.

En el poder, desde 1966 —bajo máscaras constitucionales variadas—, los generales practican la corrupción a muy gran escala. Ésta adopta formas múltiples. El pillaje del tesoro público es la más corriente: un general o su familia se hacen atribuir por parte del Banco Central (o una sociedad del Estado) un (o varios) crédito(s) en líquido. El deudor no presenta ninguna documentación, no deja ningún aval. Nunca devolverá el crédito.

Estos créditos se elevan generalmente a varios millones de dólares. Se ingresan directamente en la cuenta personal del deudor, en Londres o en Zúrich.

La sub- o la sobrefacturación, según se trate de bienes exportados o importados, se practica además en la mayoría de los ministerios.

Las cuentas privadas de los generales, en Ginebra, Zúrich, Londres o Nueva York, se ven alimentadas regularmente por sumas colosales, otras tantas tasas, si se quiere, destinadas a garantizar los favores de los amos de los pozos.

M. X. es un célebre *trader* ('operador financiero') petrolero de nacionalidad francesa, domiciliado en Ginebra. Alía una alta competencia profesional a una mirada extremadamente crítica sobre ese medio que es el suyo. Sobre la corrupción en Nigeria, le debo informaciones preciosas.

Porque nada es simple en este informe.

La junta de Abuja domina a los petroleros, y los petroleros dominan a la junta. Bajo presión de la ONU y de varias ONG, Shell elaboró un código de conducta para su personal activo en Nigeria. La junta, por su parte, carece de esos escrúpulos. Se embolsa los cánones legales y contractuales que Shell paga al Tesoro nigeriano. Pero, no satisfechos con el desfalco del Tesoro del Estado, algunos ministros, generales, gobernadores o jefes del PDP acuden habitualmente a tal o cual directivo de tal o cual compañía petrolera, particularmente activa en su región. Le exigen entonces que «olvide» registrar tal o cual cargamento de tal o cual *tanker*. El cargamento se excluye así del circuito contable de la mencionada sociedad. Se venderá directamente en el *spot-market* de Rotterdam ('el mercado libre'). El montante de la venta se ingresará a continuación en la cuenta privada del beneficiario nigeriano en Europa o de determinada sociedad *offshore* de las Bahamas. Esta práctica, llamada del «buque fantasma», es frecuente en Nigeria.

Los directivos locales de las compañías petroleras responden la mayoría de las veces a las presiones de sus interlocutores nigerianos. Si no lo hicieran, tendrían que temer, por sí mismos y sus familias, graves represalias.

En efecto, en el delta son frecuentes los asesinatos de occidentales.

También hemos de admitir que, a pesar de la avidez de algunos de sus socios nigerianos, las compañías petroleras occidentales no tienen nada de qué lamentarse. Sus cuentas anuales lo demuestran.

«¡Obsceno!». Éste es el calificativo utilizado por Unite, el principal sindicato británico, para designar el beneficio anual récord (treinta y un mil millones de dólares en 2007) de la rama británica del grupo Shell. Un resultado obtenido gracias al alza del precio del barril en el mercado, que pasó de 85 a 99 dólares en el cuarto trimestre en la Bolsa de Nueva York, y a pesar de una disminución de la producción en el mismo periodo. Unite solicitó al gobierno la subida de los impuestos suplementarios sobre las compañías petroleras británicas. Una idea rechazada por el director general de Shell, Jeroen Van der Veer, pues, según él, tal subida de impuestos podría poner en peligro la prospección de nuevos yacimientos...

Exxon-Mobile, la segunda sociedad más poderosa en Nigeria, obtuvo en 2007, por su lado, los mayores beneficios de su historia: cuarenta mil seiscientos millones de dólares. Tan sólo en el cuarto trimestre, el beneficio neto alcanzó los once mil seiscientos millones de dólares, marcando un alza del 14 por 100 con respecto al mismo periodo de 2006.

POST-SCRIPTUM

Desde luego, no todo el país está gangrenado. ¡Ni mucho menos! Compuesto por una multitud de formaciones sociales, generalmente de origen reciente, el país alberga una sociedad civil de una inventiva, una vitalidad y una fuerza de resistencia inauditas.

De estas nuevas formaciones, Environmental Rights Action (ERA) y Niger Delta Human and Environmental Rescue Organisation (ND-HERO) son algunas de las más influyentes. Se benefician del apoyo de Greenpeace, la Unión para la Protección de la Naturaleza, el World Life Fund y muchas otras organizaciones internacionales no gubernamentales.

Pero es preciso admitir que la potencia financiera y política de los padrinos condena, de momento, su lucha a la ineficacia.

5

REGUERO DE SANGRE EN EL DELTA

El delta del Níger es el más extenso del planeta. Por delante de los del Amazonas, el Ganges y el Brahmaputra. Abarca más de setenta mil kilómetros cuadrados de tierra firme, costas marítimas, orillas pantanosas, bosques de manglares e islas.

Viven allí veintisiete millones de habitantes, pertenecientes a una multitud de culturas. Son campesinos, ganaderos, pescadores, comerciantes, navegantes y obreros del petróleo. Las principales culturas de las que proceden son las de los ibo, ogoni, ibibio, ijaw, ekoi, mbembe, itsekiri y urhobo.[1]

En la actualidad, el delta genera el 90 por 100 de los ingresos en divisas de Nigeria.

Naturalmente, numerosas sociedades petroleras transcontinentales exploran las capas del delta y de la meseta continental. La más poderosa de todas ellas es el Royal Dutch Shell Group.

Shell es una amalgama de más de mil setecientas sociedades diferentes, activas en los cinco continentes. El 60 por 100 es propiedad de la sociedad Royal Dutch de Holanda; el 40 por 100 pertenece al Shell Transport and Trading Group de Gran Bretaña. Estas dos sociedades —holandesa e inglesa— trabajan juntas en el mundo entero desde 1903.[2]

Teóricamente, el petróleo y el gas nigerianos pertenecen al Estado federal.[3] Y éste concede licencias de explotación a las sociedades privadas extranjeras.

En Nigeria, Shell gestiona sus licencias por medio de cuatro compañías diferentes: la Shell Petroleum Development Company controla un territorio de más de treinta mil kilómetros cuadrados en el delta, seis mil oleoductos, noventa campos petrolíferos, setenta y tres estaciones de bombeo y las dos mayores terminales portuarias de exportación, en la isla de Bonny y en Forcados. Sus complejos de producción, sus laboratorios, sus torres de oficinas y sus plataformas hoteleras albergan a cuatro mil quinientos ejecutivos. Además, veinte mil autóctonos trabajan para la compañía.

La Shell Nigeria Exploration and Production Company está especializada en la exploración y la explotación *offshore*. Al haber desarrollado una tecnología inédita, esta sociedad explota especialmente, desde 1999, campos alejados a más de 120 kilómetros de la costa, a profundidades marítimas de entre mil y mil cien metros de profundidad. Tan sólo el campo de Bonga cubre sesenta kilómetros cuadrados y produce al día (en 2008) doscientos veinticinco mil barriles de petróleo y ciento cincuenta millones SCF (*Standard cubic feet*) de gas.

La Shell Nigeria Gas Limited, por su parte, distribuye el gas a sus clientes industriales.

La Shell Nigeria Oil Products Limited se ocupa de la fabricación y de la distribución de una multitud de productos petroleros y petroquímicos, desde el diesel hasta el queroseno de los aviones.

La lectura de los diferentes y más recientes *Shell Nigeria Annual Reports* produce verdaderamente mareos. Porque cada una de las sociedades de Shell que opera en el delta es accionista de otras compañías petroleras y gaseras, participa en *joint ventures* ('negocios conjuntos') y anuda alianzas de una terrible complejidad jurídica. Sin embargo, de este estudio se deduce que las principales sociedades socias de Shell en el delta y en el golfo son: Total, ENI, Agip, Chevron, Sun Oil, Exxon Mobil, British Petroleum y British Gas.

Los pozos producen petróleo. Pero, con el petróleo, sale gas. Ahora bien, este gas contiene peligrosos venenos para el ser humano. En los países donde se impone el Estado de derecho, son obligatorios los filtros: éstos permiten limpiar el gas antes de que se libere en la atmósfera. Cualquier violación de estas reglas de protección se castiga con multas que pueden alcanzar varios millones de dólares.

Pero, en Nigeria, el gas arde en el delta en el extremo de largas chimeneas. Las antorchas arden noche y día, inmensas llamaradas dirigidas hacia el cielo. En una perfecta impunidad.

Científicos estadounidenses calculan así que los campos petrolíferos del delta producen más CO_2 que todos los demás campos petrolíferos del mundo juntos.

Los *oil-spills*, los vertidos de petróleo en la naturaleza, son otra causa de mortificación para los veintisiete millones de habitantes del delta. Estos vertidos pueden producirse de dos maneras: ya como resultado de una manipulación errónea de la muy sofisticada tecnología de las sociedades transcontinentales, ya como consecuencia de los desperfectos del material. El volumen de petróleo perdido en estos incidentes carece de toda importancia para las sociedades. En cambio, es catastrófico para la salud de las poblaciones y del ganado, para las plantas y para el agua potable.[4]

En 1989, el petrolero *Exxon-Valdez* se partió en un peñasco de Alaska, provocando la mayor catástrofe medioambiental que haya padecido nunca Estados Unidos. Durante ese mismo año, los vertidos de petróleo en Nigeria liberaron capas de petróleo cuatro veces más importantes que las del *Exxon-Valdez*.[5]

Por todas partes en el delta ondea la bandera blanca de Shell, con la famosa concha amarilla orlada de rojo pegada en el centro. Pero a los ojos de los campesinos y los pescadores desnutridos, de sus hijos y sus mujeres, esta bandera es un símbolo de arrogancia y de opresión. Porque hace mucho tiempo que su agricultura se ha arruinado y que se asfixiaron las palmas aceiteras bajo las negras nubes de gas que se forman al extremo de las antorchas.

Periódicamente, se producen fugas en los oleoductos y, pronto, lo que se destruye es la capa freática. En la bahía de

Bonny y en River State, la pesca costera ya no es más que un lejano recuerdo.

De esta forma, los señores de las sociedades transcontinentales del petróleo y su feroz avidez de beneficio destruyeron la existencia de millones de pescadores, campesinos, hortelanos y ganaderos nigerianos.

En las junglas de manglares empapadas de petróleo, también mueren los monos. La corrosión provocada por las capas de petróleo que flotan en las bahías ataca a las piraguas. El cielo es negro.

El sutil ecosistema del delta —entre los más ricos, aunque más frágiles del planeta— ha sido aniquilado.

Una de las guerras más sangrientas, pero también más secretas del mundo, se desarrolla actualmente en el delta.

Principal movimiento de resistencia armada, el MEND[6] es de una gran eficacia militar. Reúne a varios miles de combatientes, que disponen de barcos rápidos provistos de fueraborda de gran potencia y equipados con metralletas pesadas. Sus combatientes llevan pasamontañas y, respetando un estricto anonimato, se reclutan fundamentalmente entre el pueblo mayoritario de los ijaw.

En 2007, los ataques más espectaculares tuvieron lugar en los estados de Bayelsa y de Rivers, en el corazón del país ijaw.

El MEND dispone de un servicio de información competente y de sistemas de comunicación eficaces, que aúnan piraguas y teléfonos vía satélite.

En prácticamente todas las ciudades y todas las aldeas del delta, los combatientes del MEND tienen a su disposición eficaces redes clandestinas de logística e innumerables escondites que la policía federal y las tropas de intervención parecen incapaces de desmantelar.

Por eso, la vida cotidiana en el delta está escandida por asesinatos, ataques y combates armados.

¿De dónde proceden todas esas lanchas rápidas Zodiac, esos kalachnikovs, esos teléfonos móviles, esos morteros, esas minas antipersona, esas metralletas y esos cohetes de que disponen los combatientes del MEND?

Las repetidas capturas de rehenes permitieron al MEND constituir un verdadero tesoro de guerra. Tesoro que, desde luego, utiliza metódicamente para corromper a los miembros de las tropas de elite nigerianas lanzados en su persecución y comprar a los oficiales nigerianos las armas más sofisticadas.

Pero como también es sabido que las diferentes compañías petroleras occidentales se entregan a una competencia feroz para la obtención de nuevas licencias o la renovación de licencias antiguas, no se podría excluir que algunas de ellas financien y armen secretamente a algunas unidades del MEND aquí o allá en el delta.

Sea como sea, en marzo de 2007, por ejemplo, guerrilleros del MEND atacaron algunas instalaciones de la sociedad italiana Agip. Tras un breve combate contra los guardias de Agip y los refuerzos del ejército que se apresuraron al lugar, los combatientes del MEND volaron un oleoducto, lo que redujo la producción de Agip en sesenta y siete mil barriles por día. Varios ingenieros fueron secuestrados.

Otro movimiento, las Brigadas de los Mártires, es más misterioso todavía que el MEND. No tiene anclaje en ninguna etnia determinada. Por eso, por su composición multiétnica e interclasista (los universitarios se mezclan con los pescadores), presenta todas las características de un clásico movimiento armado de liberación. Se reclaman partidarios de un intelectual de nombre Alhadji Mujahid Dokubo Asari. Éste lanzó, en 2006, un llamamiento a «la guerra total». Tras ser detenido, se le dio por desaparecido.

El incendio gigantesco de las instalaciones de Shell en el sureste del delta, en marzo de 2007, es obra de las Brigadas de los Mártires. Como lo fue el atentado que destruyó el principal oleoducto de la compañía, el que acaba en el estrecho de

Opobo, a unos cincuenta kilómetros al suroeste de Port Harcourt. Estos dos ataques forzaron a Shell a reducir su producción en ciento ochenta y siete mil barriles diarios.[7]

Practicar la política de la tierra quemada, expulsar a los invasores y liquidar a los padrinos de Abuja: el programa de los brigadistas no carece de coherencia.

Un día de enero de 2007, en la ciudad de Kula, en el estado de Rivers, reyes y jefes tradicionales mantuvieron una asamblea. A la caída del día, un comando de jóvenes disfrazados, armados con kalachnikovs, cercó la casa. Irrumpieron en la sala de ceremonias y abatieron a doce de los dignatarios presentes, hiriendo a algunos otros.

Las Brigadas de los Mártires reprochan a los jefes tradicionales de los diferentes pueblos del delta que prediquen la sumisión y calumnien la resistencia, o peor: que hagan causa común con los «opresores extranjeros».[8]

Pero ¿quiénes son realmente estos brigadistas?

No toda resistencia popular en el delta es violenta. El destino del escritor Ken Saro Wiwa lo confirma.

El viernes 10 de noviembre de 1995, un alba roja despuntaba en la prisión central de Port Harcourt. Soldados del ejército federal nigeriano irrumpieron en las celdas de Ken Saro Wiwa, que tenía cincuenta y cuatro años, y otros ocho prisioneros. Los despertaron brutalmente, les pusieron las esposas y los empujaron al patio de la prisión. Allí habían levantado un patíbulo. Uno tras otro, fueron colgando a los ocho jóvenes.

Ken Saro Wiwa fue ejecutado en último lugar.

Los nueve supliciados pertenecían todos al pueblo de los ogoni.

Ken Saro Wiwa era un escritor conocido en el mundo entero.[9]

Militante ecologista, había organizado un movimiento de protesta pacífica, el Movement for the Survival of the Ogoni

People (MOSOP). Había alertado a la prensa europea y estadounidense, escrito al Parlamento europeo, a la ONU y a la Organización de la Unidad Africana. En vano. La represión del general Sani Abacha ahogó en sangre las manifestaciones pacíficas de los ogoni.

El lunes 13 de noviembre de 1995, tres días después de la ejecución colectiva de Port Harcourt, la Federación de Nigeria fue excluida de la Commonwealth. Todos los países occidentales llamaron a sus embajadores en Abuja.

Pero, menos de un año más tarde, todo volvió a la normalidad. Sani Abacha fue admitido de nuevo en el círculo de los jefes de Estado útiles y, por tanto, respetables.[10]

¿Alguien cree que tanta hipocresía pueda pasar desapercibida?

Para millones de africanos, Ken Saro Wiwa sigue siendo el Martin Luther King del delta. Su discurso de defensa ante los jueces de Port Harcourt circula por todas partes en Nigeria. Contradicción de un régimen militar disfrazado de democracia parlamentaria: yo mismo pude conseguir un ejemplar del DVD en el kiosco del hotel Transcorp-Hilton en Abuja...

Es un discurso de una gran moderación. Al dirigirse a los directivos de Shell, el acusado dice: «Cuanto más ricos sois, más despreciáis las leyes [...]. La exploración petrolífera transformó mi país en un inmenso solar; la atmósfera está envenenada, cargada de vapores de hidrocarburos, metano, óxidos de carbono y hollines expulsados por las antorchas que, desde hace treinta y tres años, queman gases veinticuatro horas de cada veinticuatro muy cerca de las zonas habitadas. El territorio ogoni fue devastado por lluvias ácidas y derrames o brotes de hidrocarburos. La red de oleoductos a alta presión que divide las tierras cultivadas y las aldeas ogoni constituye un peligro mortal. [...] *No matter death, we shall win* ['Poco importa la muerte, venceremos']».

La represión padecida por las poblaciones civiles del delta no es más que una interminable letanía de horrores. Las unidades armadas, organizadas por los padrinos nigerianos, se conducen la mayoría de las veces como bárbaros, violando, robando y aterrorizando a los lugareños y a los habitantes de los barrios pobres de las ciudades.

La más detestada de estas unidades es la Rivers State Internal Security Task Force. Incluso Shell ha condenado ocasionalmente los crímenes cometidos por estas unidades especiales.

Muy pocas veces estas matanzas llegan a conocimiento de la opinión pública internacional.[11] Pero existen, a pesar de todo, algunas excepciones. Por ejemplo, la matanza de Odioma en 2006.

Yorgos Avgerropoulos, cineasta griego, en su película *Delta-oil's dirty business*, da la palabra a los supervivientes de la carnicería. Los jets de la aviación nigeriana sobrevolaron primero, a baja altura, la villa de Odioma. Luego regresaron para disparar cohetes que incendiaron los edificios públicos y las residencias de los jefes tradicionales. Un batallón de la Rivers State Internal Security Task Force llegó entonces en camiones, hacia mediodía. Los soldados abatieron a los que huían por las calles. Quienes se habían ocultado en sus casas fueron quemados vivos.

A la caída de la noche, los servicios de salvamento contaron ciento dos niños menores de diez años, muertos o gravemente heridos.

¿Qué crimen habían cometido las gentes de Odioma?

Mediante ocupaciones pacíficas, marchas de protesta y peticiones dirigidas a Abuja y a Port Harcourt, se habían opuesto a las nuevas perforaciones emprendidas en sus tierras de cultivo.

El ejército lanzó un ultimátum. Cuando éste expiró, declaró Odioma como «ciudad rebelde» y la destruyó.

6

LAGOS, EL BASURERO DE OCCIDENTE

En este día de enero de 2007, todos los asientos de clase preferente están ocupados. La clase económica está prácticamente vacía.

A mi lado se sienta una joven rubia y elegante, que lleva gafas y trabaja sin interrupción en el ordenador portátil que ha colocado sobre la mesita que tiene delante. Lleva un traje sastre color malva. Se ha quitado los zapatos y tiene cruzadas sus largas piernas que pueden adivinarse esbeltas. Concentrada intensamente en su pantalla, no me dirige la palabra.

Agotado por semanas de trabajo y algunos días de ski en Valais, me quedo dormido.

Ocho horas más tarde, al aproximarnos a la costa de Benin, me despierto. Mi vecina sigue pulsando su teclado.

Se nos sirve la comida. La bella pasajera cierra por fin su ordenador. Hablamos.

Ella es estadounidense, nacida de una familia de universitarios de Rochester. Trabajó durante siete años en el cuartel general europeo de Hewlett Packard en Ginebra.

Su francés es perfecto.

Su marido es holandés, oficial de marina. Actualmente, presta servicio en Afganistán en las tropas de la OTAN. La joven trabaja en el cuartel general mundial de Royal Dutch Shell, en el número 16 de la Carel van Bylandtlaan, en La Haya. Es especialista en gestión de recursos humanos.

Cada tres meses, se desplaza a Nigeria. Con sus novecientos mil barriles de petróleo bruto extraídos cada día, Shell es de lejos la sociedad petrolera más importante en Nigeria.

Le pregunto por qué no desembarca en el aeropuerto Murtala-Muhammed de Lagos, la capital económica del delta situada mucho más cerca de las instalaciones de la Royal Dutch Shell que Abuja.

La joven me contesta: «Demasiado peligroso».

Tiene razón.

El aeropuerto Murtala-Muhammed es verdaderamente un lugar peligroso. Ningún extranjero, por poco acaudalado que sea, se atreve a atravesarlo sin ir acompañado por una (costosa) escuadra de guardaespaldas.

Con sus quince millones de habitantes, Lagos, por su lado, es actualmente la segunda megalópolis africana después de El Cairo. Sólo en 2006, llegaron a ella seiscientos mil nuevos inmigrantes para buscar un medio de supervivencia.

El calor que reina allí es húmedo y particularmente pesado. Se pega a la piel, asfixia los pulmones y aplasta el cerebro. Chris Abani, joven novelista yoruba, encarcelado varias veces por «actividades subversivas», restituyó magníficamente en una novela, *Graceland*, en un estilo intensamente lírico y visual, el universo urbano caótico de Lagos.[1]

Lagos es el cubo de basura de Occidente. Cada mes, cerca de quinientos contenedores repletos de desechos tóxicos (amianto, ácidos, disolventes iónicos, metales, componentes electrónicos, etc.), procedentes de Europa y de Estados Unidos, entran en su puerto.[2]

Generalmente, estos desechos tóxicos tienen una vida altamente persistente. La amenaza pesa sobre varias generaciones.

En Lagos, sin embargo, se depositan a cielo abierto, con las consecuencias que pueden imaginarse para la salud de los ribereños.

En el Third-Mainland Bridge —ese puente de diez kilómetros que une el aeropuerto con los barrios del centro de la ciudad y con las islas Victoria y Ogogoro, donde viven los expatriados y los ricos autóctonos—, los secuestros son cotidianos.

En el crepúsculo, bandas de jóvenes, que trabajan generalmente para la policía, toman por asalto los autobuses amarillos de pintura leprosa, una vez se encuentran bien atrapados en los *go-slow*, esos tapones típicos de los barrios pobres de Surulere, Ikeja o Alapere, con el fin de desvalijar a los pasajeros.

Estos granujas tienen un nombre pintoresco: los *area boys* (los 'chicos del suburbio'). En periodo electoral, se ponen al servicio de los padrinos, roban urnas y asesinan a los candidatos indóciles.[3]

Ésta es la razón por la que, evidentemente, como todos los ejecutivos del cuartel general de la Royal Dutch Shell en La Haya, la joven del avión prefiere dar la vuelta por Abuja.

Pasará una noche en el hotel Transcorp-Hilton. A la mañana siguiente, un Lear-jet de Shell la conducirá a Port Harcourt. Desde allí, un helicóptero, igualmente de Shell, la depositará en una plataforma flotante en el golfo de Guinea donde, durante tres días, se entrevistará con los ejecutivos operacionales de la división «explotación y transporte». Luego, a través del mismo itinerario, regresará a Amsterdam.

Más de cuatro mil ejecutivos, empleados y trabajadores de Shell viven y trabajan permanentemente en las regiones de Bayelsa, Port Harcourt y Calabar.

La mayoría de ellos duerme en el mar, en las plataformas ancladas en el golfo, transformadas en apartamentos colectivos o en hoteles flotantes: aun cuando estuvieran protegidos por muros, guardias y alambres de púas, dormir en tierra, en medio de los nigerianos, sería peligroso. Porque en los impenetrables pantanos de manglares, reino de los caimanes, las serpientes y los mosquitos, a lo largo de decenas de miles de brazos fluviales, lagunas y canales del inmenso delta del río Níger, desde hace más de un decenio, la guerra sigue haciendo estragos.

7

LA HIPOCRESÍA DEL BANCO MUNDIAL

En Nigeria, Occidente se enfrenta a un terrible problema. Porque la extrema prevaricación de los padrinos es responsable de la espantosa miseria de la mayor parte de la población.

Y esta miseria, y la desesperación que alimenta en las poblaciones, amenazan en todo momento la seguridad de las gigantescas inversiones occidentales. ¿Qué hacer?

Calibremos primero el alcance de esta miseria.

La esperanza de vida en Nigeria es, tanto para hombres como para mujeres, de cuarenta y cinco años.

Más del 70 por 100 de los ciento cuarenta millones de nigerianos vive en lo que el Banco Mundial llama «extrema pobreza». Se ven obligados a sobrevivir con menos de dos dólares por día.

El 54 por 100 de ellos está crónica y gravemente desnutrido. Un niño de cada diez muere antes de la edad de diez años.

Desde hace más de quince años, el Programa de las Naciones Unidas para el Desarrollo (PNUD) establece 'índices del desarrollo humano' (*Human development index*).[1] Habitualmente, Nigeria figura en lo más bajo del cuadro.

En 2006, el PNUD evaluó ciento setenta y siete países.[2] Nigeria ocupó el puesto 159 de esta clasificación. Sí, ¡el octavo país mayor productor mundial de petróleo es uno de los veinte países más miserables del planeta!

La mitad de los nigerianos son analfabetos. Sólo el 64 por 100 de los niños en edad escolar va a la escuela. La escuela primaria es ya de pago y los gastos de inscripción, los gastos a los que hay que hacer frente para asegurarse los alimentos necesarios y los uniformes obligatorios exceden los medios financieros de muchas familias.

La población de Nigeria, como la de prácticamente todos los países subsaharianos, es muy joven: el 45 por 100 tiene menos de quince años. La tasa de crecimiento demográfico es del 2,4 por 100 anual.

El 80 por 100 de los campesinos disfruta de títulos de propiedad comunitarios o individuales. Además, se dispone de tierra en abundancia: el 58 por 100 de las tierras arables no se cultivan. Pero la inversión pública en la agricultura hortícola es prácticamente inexistente. Los abonos son carísimos, la mecanización se desconoce en la mayoría de las regiones y el crédito bancario es inaccesible para el campesino, el ganadero o el pescador. Tendrán que encomendarse al usurero. Éste gravará las cosechas y prefinanciará las simientes a tasas prohibitivas al margen de cualquier control estatal.

Por ese motivo, Nigeria está obligada a importar la mayor parte de su alimentación.[3]

Y con la miseria, llega el crimen organizado. En Nigeria, el rapto de niños, su exportación hacia el extranjero, su venta a redes pedófilas, constituye una actividad lucrativa para un buen número de cárteles del crimen.

Dos bandas fueron identificadas en 2007 por Interpol. El desmantelamiento de una ramificación italiana permitió la detención de sesenta y seis traficantes de niños nigerianos. Otra investigación, efectuada en Holanda, concluyó con la detención de policías nigerianos y del director de un orfelinato.

Pero otros cientos de niños nigerianos más han desaparecido en Europa, sin dejar huella. Desde 2000, Holanda acogió a tres mil ochocientos menores no acompañados, mayoritariamente de origen nigeriano. De ellos, en 2007, doscientos treinta y ocho no acudieron a la llamada de los centros de acogida, probablemente raptados por traficantes, cómplices de las redes pedófilas.[4]

Olusegun Obasanjo que, según confiesa él mismo, es, como George W. Bush, un «*Born again Christian*», terminaba su segundo mandato como jefe de Estado en abril de 2007. Interrogado por el *Financial Times* de Londres sobre las realizaciones de las que se sentía más orgulloso, el yoruba malicioso mencionó «la cantidad de millonarios» que había creado... y su cría industrial de pollos, cerca de Lagos.

El padrino de Aso Rock sentía, sin embargo, un motivo de pesar.

¿A causa de la desnutrición criminal que hacía estragos en la población? ¿A causa de la polio y la malaria, esa enfermedad que progresa y mata cada año a decenas de miles de niños? ¿A causa del abandono completo de las atenciones sanitarias y la agricultura hortícola?

De ninguna manera.

Tras ocho años pasados al frente del Estado, el padrino experimentaba lamentos más nobles. Escuchémosle: «*Why can't we have a Nigerian among the three richest Persons in the World?... Why are the others making it and we are not making it? What makes the Russian oligarchy or whatever you call it and those in China, in India more different?*» ('¿Por qué no somos capaces de colocar a un nigeriano entre los tres hombres más ricos del mundo?... ¿Por qué los demás países lo consiguen y nosotros no? ¿Cuál es la causa de que la oligarquía, o como quiera que se llame eso, en Rusia, en China y en la India, sea tan diferente a la nuestra?').

Con un pragmatismo completamente británico, el *Financial Times* de Londres constata: «La clase emergente de los políticos y los hombres de negocios nigerianos parece indiferente a los sufrimientos de los pobres... que, sin embargo, son mucho más numerosos que ellos».[5]

En tal contexto, marcado por la miseria y la codicia, es comprensible la inquietud de los señores de Shell, British Gas, Exxon o Total.

¡Por fortuna esos filántropos tienen amigos en Washington! En efecto, en cualquier lugar en el hemisferio sur, donde las inversiones occidentales son importantes, el Banco Mundial funciona como una especie de seguro a todo riesgo contra eventuales sublevaciones populares.

¿Se han embolsado los padrinos de Abuja, desde la independencia, trescientos cincuenta y dos mil millones de petrodólares?[6] ¿Se niegan a aportar las inversiones necesarias para la agricultura hortícola, las atenciones de salud primaria, la escuela, los hospitales? ¿Hay riesgo de insurrecciones? ¡Que eso no sea el obstáculo! El Banco Mundial paliará los riesgos.

El Banco Mundial es la mayor agencia de desarrollo del sistema de las Naciones Unidas. En términos de sus propios estatutos, es de su incumbencia apoyar, ayudar y financiar los planes de desarrollo de los gobiernos más pobres del planeta.

Pero en Nigeria (al igual que en otros muchos países del Sur, que se encuentran bajo la férula de Occidente), la realidad es muy diferente. El Banco Mundial está aquí al servicio más directo de los señores de las sociedades privadas occidentales.

Sosiega sus angustias.

Financia un mínimo de inversiones sociales destinadas a contener la cólera del pueblo.

El director regional del Banco Mundial en Abuja es un egipcio, de recia corpulencia, vivo y caluroso, Hafez Ghanem. Es un economista muy competente. Cada año, explica, el Banco Mundial dedica en término medio cinco mil millones de dólares para la realización de proyectos de desarrollo en toda el África subsahariana. De esta suma, ¡dos mil millones de dólares van a Nigeria!

Para evitar las sublevaciones provocadas por el hambre que podrían poner en peligro los exorbitantes privilegios de las sociedades occidentales, el Banco Mundial no duda en dejar maltrechos sus propios estatutos. Éstos estipulan, en efecto, con claridad, que las inversiones del Banco están destinadas exclusivamente a los países más pobres. Ahora bien, Nigeria es uno de los países más ricos de la tierra. Al pagarle todos los años, en concepto de ayuda al desarrollo, sumas astronómicas, los directores del Banco violan, pues, alegremente sus propias reglas.

La situación es absurda. Una miseria terrible consume a la mayoría de los países del África subsahariana. Pero Nigeria es infinitamente rica. Al conceder prioritariamente sus fondos de desarrollo a Nigeria, el Banco Mundial sirve, pues, a los intereses de los señores del petróleo, pero priva a numerosos países pobres de inversiones sociales elementales.

Por lo demás, el simpático Hafez Ghanem lo reconoce con toda franqueza: «Lamentablemente, no es aquí, en la oficina regional, donde se toman las decisiones. Sino en Washington».[7]

8

LOS NIÑOS ESCLAVOS DE WUZE

Wuze-Market II es un cafarnaún, un interminable laberinto de barracas de hormigón gris, tascas, restaurantes chic, almacenes, aparcamientos de camiones y carretas, callejuelas estrechas e innumerables, avenidas inundadas de desechos plásticos, miles de carnicerías a cielo abierto, pozos de agua, capillas y mezquitas.

Una muchedumbre discreta, coloreada, lo recorre día y noche. Pueblos procedentes de toda Nigeria y de muchos otros países del África negra, el Magreb, Oriente Medio y las orillas del mar Rojo se reconocen allí por sus escarificaciones, sus bubas, sus túnicas, sus paños o sus cantos. Decenas de miles de personas beben allí, comen, hacen negocios, venden, compran, rezan, cantan y deambulan permanentemente.

La gran paz de los comerciantes reina en el mercado. La atmósfera es agradable, la gente sonríe con facilidad. No se percibe agresividad alguna. Aquí, un mercader yemenita elogia ruidosamente sus especias y sus aromas, allá joyeros senegaleses ofrecen —a precios asombrosamente bajos para una capital— alhajas suntuosas. Los bidones de aceite de palma, los sacos de arroz, las pirámides de cebollas, de patatas, de tomates, montañas de yam, cajas de piñas, de nueces de cola, de alubias rojas, de pescado ahumado (poco pescado fresco), cebúes y corderos en canal, se amontonan hasta perderse de vista.

Wuze II es un mercado rico, que ofrece productos variados en gran cantidad. Por las arterias de alrededor circulan los Peugeot negros climatizados: coches estándar de los ministros, los generales y los altos funcionarios. Son sus arrogantes esposas y amantes que acuden al mercado. Pero la mayor parte del tráfico está formado por carretas sobrecargadas, tiradas por asnos.

De vez en cuando, pasa un camello.

La mayoría de los compradores son pobres. Meditan mucho tiempo, titubean, se marchan, vuelven atrás, regatean y, finalmente, compran en cantidades reducidas.

En Nigeria, existe una encantadora costumbre. Cualquier extraño que atraviese el umbral de una vivienda, sea la vivienda que sea —el palacio del presidente o la chabola de un parado—, recibe, colocadas en una bandeja —de plata en casa de éste, de madera en casa de ese otro—, tres nueces de cola: dos rojas y una blanca.

Regalo de bienvenida, gesto de hospitalidad.

Al final de la jornada, en el crepúsculo del viento harmatán, mientras me paseaba por una callejuela de Wuze II, un vendedor hausa, con una amplia sonrisa, me llamó, invitándome a reunirme con él alrededor de un vaso de té.

Su tienda hacía las veces de restaurante, y algunos clientes aún estaban sentados al fondo de la habitación. En el terraplén situado delante de la cercana mezquita, los fieles se prosternaban para la oración de la tarde.

Una matrona de respetable corpulencia, que llevaba un paño azul celeste y un turbante del mismo color, y una sonrisa que estallaba en los labios, salió al umbral de la tienda. Me tendió una bandeja de madera que llevaba las nueces acostumbradas.

Por haber viajado a Estados Unidos e Inglaterra, el comerciante hablaba un inglés perfecto.

La velada era dulce, apacible. Charlábamos.

De repente, se oyeron gritos. Gritos de dolor. Estridentes. Desesperados.

Me levanté de un salto.

Detrás de la tienda, descubrí a la matrona del paño azul transformada en furia. Con la ayuda de una varilla de metal, golpeaba a una niñita de alrededor de cinco años. De la nariz y la frente de la niñita, saltaba la sangre. En vano trataba de proteger su cara con sus bracitos delgados. A su lado, otra niñita estaba en cuclillas, con la mirada despavorida, aterrorizada.

Delante de las niñitas estaba colocado, en el suelo mismo, un gran barreño lleno de agua amarillenta. Al lado del barreño, había dos pirámides —en incierto equilibrio— de platos metálicos y de cubiletes: la vajilla sucia de los clientes de la taberna.

Todo parecía indicar que las dos niñitas, que lavaban la vajilla desde el amanecer, se habían desmoronado de fatiga.

Se llamaban Jade y Lallah. Llevaban un foulard sobre sus cabellos negros y vestiditos descoloridos. Tenían la piel de las piernas y los brazos cubierta de moratones, huellas de antiguos golpes.

Estaban ostensiblemente desnutridas.

Sus ojos eran los de unos animalitos acorralados, mitad suplicantes, mitad resignados. En el lóbulo de las orejas y en la nariz, llevaban minúsculos anillos dorados.

Su historia era extremadamente banal: las dos niñitas eran originarias de dos aldeas del estado de Kaduna, de la sabana árida, por donde merodea el hambre. La matrona se hacía llamar «tía» por las niñitas. El sistema está perfectamente rodado: mujeres de Abuja, Lagos o Kano van a las aldeas miserables del Norte, prometen el oro y el moro (escuela, alimentación y, más tarde, un marido) a padres angustiados. Y regresan con las niñitas. ¿Su destino? El trabajo forzado y los golpes antes de la pubertad; la prostitución y los golpes redoblados después.

En Nigeria hay cientos de miles de niños esclavos.

9

CUANDO ANGELA MERKEL ABOFETEÓ A WOLE SOYINKA

En sus relaciones con los extranjeros, los nigerianos siempre manifiestan, todas las etnias y las culturas al unísono, una gran amabilidad. Pero, en su fuero interno, el odio a Occidente es profundo.

Se sienten permanentemente humillados.

Por mediación de sus sátrapas autóctonos, Occidente les impone un régimen férreo que vuelve quimérica cualquier insurrección. La explotación de los recursos naturales y la fuerza de trabajo del país engendra una miseria abismal. Más del 70 por 100 de la población la padece, como ya hemos dicho.

Aquí todo el mundo sabe bien que, sin la colaboración activa de Shell, Total, Exxon, Chevron, Agip y los principales gobiernos occidentales, la junta no podría mantenerse en el poder más de tres meses.

Ahora bien, el desprecio que sienten los nigerianos por Occidente alcanzó un nuevo pico en la primavera de 2007.

Volvamos a las famosas «elecciones» de ese año, cuando Umaru Yar'Adua, hermano del general del mismo nombre, antiguo gobernador del estado musulmán de Katsina, se convirtió en presidente de la República. Pero por muy presidente de la República que sea, Umaru Yar'Adua conservó el control del Ministerio de la Energía, que tiene bajo su jurisdicción las tres secretarías de Estado de la electricidad, el gas y el petróleo.

The Economist, el semanario británico, caracteriza así las elecciones de abril de 2007: «La causa de todo esto [la falsificación electoral] es una corrupción pasmosa y la prevaricación, emparejadas a una cultura política que debe más a los principios del gangsterismo que a los de la democracia [...]. Las elecciones de abril estuvieron marcadas por la violencia y el fraude a una escala que desafía la imaginación, inclusive del más hastiado de los electores nigerianos».[1]

Pero una poderosa sociedad civil está apuntalándose en el África subsahariana. Y especialmente en Nigeria. Una resolución del Foro Social Mundial de Nairobi, del 20 de enero de 2007, exige por otra parte «el fin de la falsificación de las elecciones en África».

Para vigilar las elecciones nigerianas y apaciguar las críticas procedentes de la sociedad civil, los comisarios de la Unión Europea en Bruselas pusieron en pie una importante misión de vigilancia, que incluía varios cientos de observadores europeos repartidos por las diferentes regiones de Nigeria.

The Economist habla de «gangsterismo» político. El informe de la misión europea utiliza palabras pulidas. Pero, en el fondo, sus conclusiones son idénticas: las elecciones nacionales nigerianas de 2007 tuvieron la naturaleza de una mascarada. Umaru Yar'Adua carece de cualquier tipo de legitimidad democrática real.

Durante la cumbre del G-8 de junio de 2003 en Evian, Jacques Chirac, entonces presidente de la República francesa, había invitado al Grand Hôtel du Parc, además de a sus homólogos de los principales Estados industrializados, a un número escogido de huéspedes de honor representantes de los pueblos del Sur: Abdelaziz Buteflika, por África, y Luiz Inácio Lula da Silva, por América Latina.

En 2007, el G-8 se celebraba en Alemania, por invitación de la cancillera Angela Merkel. La cumbre debía celebrarse en el Kurhaus de Heiligendamm, imponente caserón blanco que data de Guillermo II y está situado en el mar Báltico.

Una inmensa red metálica colocada en el mar mismo, un muro, alambradas que se extendían a lo largo de doce kilómetros, submarinistas de combate, un navío de guerra estadounidense, helicópteros negros Apache, dieciséis mil policías, tropas de elite, francotiradores apostados en los tejados de todas las aldeas de los alrededores: todo había sido preparado para dar protección al G-8. Cinco mil periodistas procedentes del mundo entero, pero encerrados en la aldea vecina de Kühlenborn, cubrían la cumbre.

Más allá del muro, desperdigadas por la campiña arenosa de Mecklemburgo, las tiendas y los cobertizos improvisados de los adversarios del G-8 se extendían hasta perderse de vista. Eran ciento cincuenta mil personas las que protestaban contra la cumbre.

En Heiligendamm, Vladimir Putin, Angela Merkel, George W. Bush, Nicolas Sarkozy y sus colegas discutieron sobre todo de África. Los dos puntos principales del orden del día se referían a la «garantía de las inversiones privadas extranjeras» y a «la universalidad de la protección de las patentes» en el continente.

La palabra «hambre» no figuraba en la agenda de Heiligendamm.

Pero Angela Merkel quiso imitar a Jacques Chirac. Y como huésped de honor, representante de los pueblos del África negra, invitó a Umaru Yar'Adua.

Wole Soyinka es un hombre amable, un sincero enemigo de la violencia. Nunca hizo causa común con ninguno de los movimientos armados de resistencia.

Fue el primer africano que recibió el Premio Nobel de Literatura, sus obras de teatro se representan en Londres, Berlín, Nueva York y París. Sus ensayos se traducen las principales lenguas europeas. Sus novelas alcanzan importantes tiradas.

Es además un autor celebrado por el Royal Court Theatre de Londres. Sus poemas se recitan en los campus de las universidades estadounidenses. Su autobiografía, *You Must Set Forth at Dawn* ('Debes ponerte en camino al amanecer'), figuró en la lista de libros más vendidos del *New York Times* durante toda la primavera de 2006.[2]

Siendo periodista de radio en Ibadán en 1967, el joven Soyinka se alzó contra la guerra de Biafra. El coronel Gowon lo hizo detener y «desaparecer» en una celda subterránea.[3] Una extraordinaria movilización de escritores y de intelectuales ingleses lo salvó de una muerte segura.

Condenado a muerte por el general Sany Abacha, en 1993, Soyinka consiguió huir del país. A continuación pasó cerca de diez años como profesor invitado en diferentes universidades inglesas y estadounidenses. Por ese motivo, pocos intelectuales africanos pueden estar tan agradecidos a algunos occidentales como Wole Soyinka.

Sin embargo, su odio a Occidente es vehemente.

La invitación que Angela Merkel dirigió a Umaru Yar'Adua la sintió como una «bofetada».[4]

Escribió: «El racismo occidental es el principal responsable de los infortunios de mi pueblo».[5]

En Heiligendamm, la hipocresía de Occidente alcanzó su cúspide. En junio de 2007, Angela Merkel era la presidenta de la Unión Europea... La misma Unión que, tres meses antes, había calificado como «fraudulenta» la elección del presidente nigeriano.[6]

QUINTA PARTE

BOLIVIA: LA RUPTURA

I

CUANDO LOS CERDOS ESTABAN HAMBRIENTOS

En la inmensa basílica de la Aparecida, situada a medio camino entre Río de Janeiro y São Paulo, los rayos del sol poniente enrojecían a través de los vitrales de vivos colores. El edificio se construyó para la visita del Papa. Coste de la operación: 37 millones de dólares. En esta tarde de otoño declinante, el calor satura la atmósfera.

Silueta endeble vestida toda de blanco, con la voz temblorosa, de lenta cadencia, Benedicto XVI se dirigió a los miles de creyentes y a los doscientos cardenales, arzobispos y obispos reunidos en este domingo 13 de mayo de 2007.

Josef Ratzinger dijo: «La fe cristiana animó la vida y la cultura de estos pueblos indios durante más de cinco siglos. El anuncio de Jesús y su Evangelio no constituyó, en ningún momento, una alienación de las culturas precolombinas, y tampoco supuso la imposición de una cultura extranjera».

El Papa preguntó: «¿Qué significado tuvo la aceptación de la fe cristiana para los pueblos de América Latina y del Caribe? Para ellos, significó conocer y aceptar a Cristo, ese Dios desconocido que sus ancestros, sin saberlo, buscaban en sus ricas tradiciones religiosas. Cristo era el Salvador que anhelaban silenciosamente».[1]

En muy pocas ocasiones se profirió una mentira histórica semejante con tanta sangre fría.

En 1550, transcurrían ya sesenta años del «descubrimiento» español de las Américas. La matanza de los aztecas y los aymaras, las espantosas carnicerías perpetradas por la soldadesca ibérica en las islas, llegaron a sembrar la inquietud ese año incluso en el Palacio Real de Madrid y en la corte papal de Roma.

De acuerdo con el Papa Julio III, el emperador Carlos Quinto[2] decidió entonces promover una gran controversia y reunir a sus participantes en Valladolid.

He aquí las cuestiones que fueron debatidas en tal ocasión: ¿pertenecen, o no, los pueblos recientemente descubiertos a la especie humana? ¿Están o no incluidos en el plan de redención del Salvador? ¿Son criaturas del Dios vivo o una subespecie escasamente humana de la humanidad? ¿Tienen alma los indios? ¿Murió Cristo también por ellos?

De común acuerdo, el emperador y el Papa designaron a dos polemistas principales: el dominico Bartolomé de Las Casas, defensor de los indios, y Juan Ginés de Sepúlveda, partidario de la tesis de la «subhumanidad» de los hombres recientemente descubiertos.

Bartolomé de Las Casas tenía, en 1550, setenta y seis años. Nacido de una familia de conversos, o, dicho de otra manera, de judíos convertidos al catolicismo, había sido obispo de Chiapas, en México.

Juan Ginés de Sepúlveda tenía casi veinte años menos que Las Casas. Y si este último era un andaluz apasionado, un predicador nato, Sepúlveda, por su parte, era un frío jurista formado en Bolonia. Era además —puesto de confianza donde los haya— el preceptor del príncipe heredero, el futuro Felipe II.

Según Las Casas, los indios eran indudablemente seres humanos, dotados de un alma y capaces de acceder a la salvación. Pero Sepúlveda se obstinaba en negarles a los indios la cualidad de seres humanos.

Estaban en juego enormes intereses económicos. Si los indios fueran reconocidos como plenamente humanos, si fueran hijos de Dios y estuvieran vinculados al plan de redención de

Cristo, nadie tendría el derecho a reducirlos a la esclavitud ni a robarles sus tierras, sus bosques y sus minerales. Habría que remunerar su trabajo, comprarles sus bienes... Eso provocaría, con toda seguridad, la ruina del imperio.

El resultado de la controversia de Valladolid no ofrecía ningún género de duda. Los conquistadores tenían al Tesoro real de su parte.

Desesperado, solitario, Las Casas murió en Madrid, el 18 de julio de 1566.

Pero nada era simple en la España del siglo XVI.

En 1542, el emperador Carlos V había, en efecto, promulgado *Las Leyes de las Indias*, que estipulaban la prohibición de la esclavitud de los indios y la supresión gradual de la encomienda.[3]

¡Los colonos estallaban de indignación! En Lima, los insurgentes armados expulsaron al virrey.

Carlos V se echó para atrás y renunció a la aplicación de las leyes.

Estas leyes, evidentemente, tienen una historia.

De joven, Carlos V había seguido los cursos del dominico Francisco de Vitoria en la Universidad de Salamanca. Ahora bien, Vitoria era un contemporáneo, un hermano de combate de Las Casas. Se le considera fundador del derecho internacional.

Todavía recuerdo con emoción un día de verano en Salamanca. La universidad conservó en su estado original la salita, con su tornavoz y sus bancos toscamente labrados, donde Fray Francisco de Vitoria impartía sus cursos.

Carlos V hablaba con dificultad el español, pero entendía perfectamente el latín. Su asiduidad está comprobada, y se ha establecido en especial que asistió con mucha regularidad al curso titulado *De potestate civili* en 1528.[4]

Me imaginé a Carlos V sentado entre los estudiantes en esos bancos de madera, escuchando en silencio la teoría del derecho natural, ¡él, el futuro amo del mundo, que reinaría desde los Andes hasta Flandes!

Tras la controversia de Valladolid, el emperador intentó resucitar *Las Nuevas Leyes*... sin preocuparse, no obstante, de su aplicación en las Américas. O dicho de otra forma, los esclavos indios presentes en suelo ibérico fueron liberados, mientras que los millones de indios cautivos, que trabajaban en las minas americanas o en las encomiendas, tuvieron que seguir soportando el esclavismo...

¡Es digno de admiración este doble lenguaje practicado desde hace tanto tiempo por los occidentales!

Las Casas menciona esa extraña costumbre española practicada por los conquistadores: «Oh, todo nos sirve. Pero, sobre todo, el hierro, porque la pólvora es cara. A veces se los ensarta en grupos de trece, se los rodea de paja seca y se les prende fuego. Otra veces se les cortan las manos y se los abandona en el bosque».

¿Por qué en grupos de trece? Las Casas responde: «¡Para honrar a Cristo y a los doce apóstoles! Sí, os digo la verdad. El Señor fue "honrado" con todos los horrores humanos [...]. ¡A veces se cogía a los niños por los pies y se les partía el cráneo contra las rocas! ¡O bien se los echaba en la parrilla, se los ahogaba o se los arrojaba a los perros hambrientos que los devoraban como cerdos! ¡Se hacían apuestas a ver quién sería capaz de abrir el vientre de una mujer de un sol tajo! [...] He visto crueldades tan grandes que no seríamos capaces de imaginar. Ninguna lengua, ningún relato puede decir lo que he visto».[5]

La población del México precolombino alcanzaba entre treinta y treinta y siete millones y medio de habitantes, y se calcula en la misma cifra la cantidad de indios que vivían en la zona andina. América central, por su lado, contaba con entre diez y trece millones de almas. Aztecas, incas y mayas sumaban un total de entre setenta y noventa millones de personas a la llegada de los conquistadores. Ahora bien, un siglo y medio más tarde, ya no eran más que tres millones y medio.[6]

En un texto náhuatl conservado en un libro del siglo XVI,

llamado *Códice florentino*, un testigo ocular, azteca, describió el saqueo de Tenochtitlán y el martirio del emperador Moctezuma: «Los españoles estaban deleitándose. Como si fueran monos levantaban el oro, como que se sentaban en ademán de gusto, como que se les renovaba e iluminaba el corazón. Como que cierto es que eso anhelan con gran sed. Se les ensanchaba el cuerpo por eso, tienen hambre furiosa de eso. Como unos puercos hambrientos ansían el oro».[7]

Para esos «puercos hambrientos», que carecían de cultura y de compasión, aunque disponían de pólvora, caballos y espadas afiladas, los astrónomos, campesinos, constructores, matemáticos y botánicos aztecas, aymara, quechua o maya no eran más que animales sometibles a discreción.

Las riquezas extraídas por los predadores ibéricos del subsuelo, las tierras, los bosques y los valles sudamericanos durante tres siglos desafían cualquier imaginación.

Sólo proporcionaré aquí un ejemplo, el de Cerro Rico, la «montaña rica» que domina la ciudad de Potosí.

En 1543, Potosí, nueva ciudad construida al pie del Cerro Rico, era la más poblada de las Américas y una de las más ricas de todo el mundo occidental. Incontables venas de plata atravesaban, efectivamente, el Cerro Rico. En tres siglos, se extrajeron cuarenta mil toneladas de plata.[8]

Ocho millones de indios dejaron allí la vida.

El oro había sido la obsesión de los conquistadores, los primeros saqueadores que desembarcaron en las Américas. Pero, rápidamente, la plata destronó al oro como principal riqueza que extraer de las nuevas tierras. Hamilton estima que, ya a mediados del siglo XVII, la plata representaba más del 90 por 100 de las exportaciones mineras de la América bajo dominación española.[9]

Los magnates de las minas o sus subcontratistas se dedicaban a la caza del esclavo a cientos de kilómetros alrededor de Potosí. Así, las comunidades agrícolas quechua y aymara del Altiplano eran atacadas y devastadas durante la noche, y sus habitantes encadenados y empujados como ganado a los túneles que conducían al laberinto subterráneo del Cerro. Era la época en que numerosos individuos se veían obligados a reivindicar ante los tribunales su condición de mestizos para no ser enviados a las minas, ni vendidos y revendidos en los mercados.

Este sistema de explotación minera era llamado la *mita*. Los esclavos mineros llevaban el nombre de *mitayos*.

Los guardas armados enviaban los rebaños de *mitayos* a los pozos: hombres y adolescentes, pero también niños y mujeres. Quien se negara a bajar era asesinado *in situ*.

Los *mitayos* descendían por las escalas, se agarraban a las barras, intentando no caer en los pozos, algunos de los cuales tenían una profundidad de varios cientos de metros.

Una vez llegados a las galerías, ellos mismos, mediante vigas de madera llevadas por las escalas, tenían que apuntalar los techos y las paredes. Protección ridícula: los desprendimientos eran frecuentes. Actualmente, el Cerro Rico sigue albergando en su seno miles, quizá decenas de miles de cadáveres de *mitayos* enterrados vivos bajo las paredes y los techos hundidos.

A partir de las galerías ya perforadas con ayuda de sus picos, los hombres, las mujeres y los niños prisioneros de las profundidades debían arrastrarse sobre el vientre como reptiles para cavar nuevos pasillos laterales, y arrancarles nuevos bloques de mineral. A continuación, tenían que llevar los bloques a sus espaldas y ascender por las escalas.

No se permitía a ningún minero que subiera a la superficie si no llevaba consigo un determinado peso de mineral argentífero. Guardas armados estaban situados en lo alto de las escalas. El minero —ya fuera hombre, mujer o niño— que intentara subir a la luz del día sin su «merecido» reglamentario era repelido despiadadamente a las tinieblas.

Hasta día de hoy, el túnel de acceso principal al Cerro lleva el nombre de «Garganta del infierno».[10]

Naturalmente, a veces se producían rebeliones. Sirviéndose de los huesos de sus camaradas muertos de hambre o de agotamiento en el fondo de los pozos, los mineros supervivientes fabricaban puñales. Haciendo acopio de sus últimas fuerzas, trepaban entonces hasta lo alto de la escala y atacaban a sus guardas.

Juan Ginés de Sepúlveda, el teólogo que, en Valladolid, había sido el adversario de Bartolomé de Las Casas, avanzaba, para justificar el sufrimiento de los indios en las minas y las encomiendas, la siguiente explicación: «Los indios merecen ser tratados así, porque sus pecados e idolatrías ofenden a Dios».[11]

Karl Marx proporciona una explicación más realista.

La acumulación inicial del capital, fundamento del desarrollo industrial, financiero y político de Occidente, se llevó a cabo en el hemisferio sur.

Escuchemos lo que dice Marx: «El capital llega al mundo sudando sangre y fango por todos los poros [...]. Necesitaba como plataforma la esclavitud encubierta de los asalariados en Europa, y la esclavitud sin disimulo en el Nuevo Mundo».[12]

Y sigue Marx: «La historia moderna del capital data de la creación del comercio y el mercado entre los dos mundos en el siglo XVI [...]. El régimen colonial garantizaba salidas a las manufacturas nacientes, cuya facilidad de acumulación redobló, gracias al monopolio del mercado colonial. Los tesoros directamente usurpados fuera de Europa mediante el trabajo forzado de los indígenas reducidos a esclavitud, por la concusión, el pillaje y el asesinato, refluían a la madre patria para funcionar allí como capital».[13]

Naturalmente, ninguna conquista territorial, ninguna dominación duradera es posible sin la actividad de un aparato ideológico y represivo, coercitivo, coherente y eficaz. Para someter a los pueblos indios de las Américas, el aparato que asumió esta función fue la Santa Inquisición. Su nombre oficial era más anodino: el Tribunal de la Iglesia.[14] Sus procuradores, instructores, torturadores, jueces, verdugos y confesores viajaban en las carabelas y los galeones de los reyes de Portugal y de España. Desde finales del siglo xv, los inquisidores y sus tribunales de la Iglesia se propagaron más allá de los mares: sobre todo, en las Américas y las Antillas.

¿Se sometieron acaso los indios «silenciosamente» y «fervorosamente» a los beneficios de la Inquisición y de la conversión forzada al dogma de Roma, tal como asegura Benedicto XVI?

¡Evidentemente no!

Durante los más de tres siglos que duró la dominación colonial española en las Américas,[15] la resistencia india nunca se debilitó. El martirologio de los insurgentes indios, en los valles, los desfiladeros y los altiplanos de los Andes, traspasa los siglos. En su discurso, Evo Morales lo invoca constantemente.

Una poderosa rebelión campesina barrió, por ejemplo, los Andes centrales en 1571. Fue conducida por un indio de nombre Túpac Amaru, que decía ser descendiente del último inca. Fue capturado. Miles de sus combatientes, sus mujeres y sus niños, fueron asesinados, y sus pueblos quemados. El virrey español del Perú, Francisco de Toledo, organizó en Cuzco un proceso público.

Túpac Amaru fue horriblemente torturado, y luego decapitado.

Hacia finales del siglo xviii, fue en las minas donde se organizó la resistencia más encarnizada.

En 1776, un movimiento dirigido por José Gabriel Condorcanqui reclamó la abolición de la esclavitud minera, la *mita*, especialmente en Potosí. Decenas de miles de campesinos y de mineros respondieron a su llamamiento, y mataron a los señores mineros, los latifundistas y sus guardas.

José Gabriel era un joven mestizo, de padre español y madre india, cuya belleza y cuya fuerza física se consideraban excepcionales. Adoptó el nombre de Túpac Amaru II.

Durante siete años, Túpac Amaru II libró contra españoles, superiormente armados, una guerra de guerrillas extremadamente móvil. Pero, finalmente, después de que uno de sus compañeros lo hubiera traicionado, Túpac Amaru II fue sorprendido mientras dormía, cargado de cadenas y trasladado a Cuzco.

Una noche, un enviado del virrey de nombre Ardeche entró en su celda.

Al cautivo, marcado por las torturas, extenuado por la sed y el hambre, Ardeche le ofreció la libertad en México y una fuerte suma de dinero. Pero el mestizo se negó a someterse.

Se le dio muerte el 18 de mayo de 1781 en la plaza Wacaypata, de Cuzco. Antes de sacarlo de su calabozo, el verdugo le cortó la lengua.[16]

El virrey temía el discurso que Túpac Amaru II hubiera podido dirigir a la inmensa multitud que se apiñaba en la plaza.

Antes de morir, se le obligó al condenado a asistir a la degollación de su mujer, sus hijos y los amigos suyos que habían sido capturados con él cerca de Tinta, tres meses antes.

Luego los verdugos ataron sus brazos y sus piernas a cuatro caballos. Fustigados, estos últimos partieron en cuatro direcciones distintas, pero se dice que el cuerpo de Túpac Amaru II no se desgarró. Finalmente, los verdugos lo arrastraron hasta el patíbulo y lo decapitaron, y luego lo desmembraron.

La cabeza del supliciado fue enviada para ser expuesta en la plaza pública de Tinta. Un brazo fue expuesto en Tungasucu, el otro en Carabaya, una pierna en Livitaca, la otra en Santa Rosa.

Algunos meses después del suplicio de José Gabriel en Perú, otro joven aymara de nombre Julián Apaza, con veintisiete años de edad, adoptó el nombre de Túpac Katari e hizo un llamamiento a la rebelión, en esta ocasión en los altiplanos del sur del virreinato, en el territorio de la actual Bolivia.

Al frente de un ejército de más de cuarenta mil campesinos y mineros, y con ellos numerosos esclavos africanos fugitivos, puso sitio a La Paz.

Un cuerpo expedicionario metropolitano, enviado desde Andalucía, dio razón de los insurgentes.

El 15 de noviembre de 1781, Julián Apaza, alias Túpac Katari, tuvo a su vez que asistir a la ejecución por degüello de todos sus hijos y toda su familia, y luego fue decapitado y descuartizado.

Las últimas palabras de Julián Apaza se transmitieron a través de los siglos, durante las veladas nocturnas, en el seno de las comunidades quechua y aymara. Al verdugo que iba a decapitarle, el joven Túpac Katari le habría dicho: «Solamente a mí me matan: volveré y seré millones».

Actualmente, en el altiplano andino de Ecuador, Perú y Bolivia, mucha gente está convencida de que Evo Morales Ayma es la reencarnación de Túpac Katari.

2

UN INDIO EN LA PRESIDENCIA

Fue en Tiwanaku donde, el sábado 21 de enero de 2006, se organizó la ceremonia de investidura del primer presidente indio de América del Sur.

El sol rojo y, pronto, de oro del verano andino se elevaba sobre el lago Titicaca. Los megalitos de Tiwanaku surgían lentamente de la sombra. Decenas de miles de mantas estaban extendidas sobre el mismo suelo pedregoso de donde se levantaban ahora decenas de miles de hombres, mujeres, niños y adolescentes. Habían pasado la noche —a veces varias noches y varios días— al pie de las estatuas gigantes, bajo las vigas de basalto, cerca de las pirámides medio desfondadas y de los pórticos grandiosos de la ciudad sagrada.

Algunos arqueólogos consideran que la civilización de Tiwanaku era tan rica como la del Egipto antiguo.

Sin embargo, en Perú y Bolivia, numerosas familias criollas de la oligarquía, recluidas en sus palacios de Lima o de Santa Cruz, o que descansan al borde de sus piscinas en Miami, siguen diciendo «los animales» para referirse a los descendientes de los incas que componen la parte principal de la población de sus Repúblicas. ¡Todo un programa!

El cielo, ahora, era límpido. Finas nubes blancas se aproximaban desde el lago Titicaca. El sonido sordo producido por las zampoñas y las flautas de Pan despertaba a los últimos durmientes. Los murmullos de los rezos de la mañana llenaban el aire.

Las comunidades habían dormido separadamente. Ahora, se mezclaban unas con otras. Las jóvenes de Tarija, de una belleza a menudo deslumbrante —amplias faldas coloreadas, sombreros redondos y flores rojas en los cabellos de azabache—, interpelaban en un quechua cantante a los muchachos aymara, silenciosos y dignos en sus ponchos de fiesta morenos.

El olor a maíz tostado, los cantos profundos de los bajones, las enormes flautas llevadas cada una por dos hombres y que los moxos habían traído de las tierras bajas, llenaban el aire.

Todavía hacía frío.

Para camuflar un racismo virulento, las oligarquías que gobernaron Bolivia desde la independencia, de 1825 hasta 2006, afirmaron con una gran perseverancia: «Aquí no existen ni blancos, ni indios, ni negros. Todos somos mestizos».

La realidad es completamente diferente.

El último censo oficial en Bolivia se remonta a 2001. Se invitaba a los diez millones de habitantes a que respondieran, y los padres o los adultos que tuvieran autoridad sobre ellos debían responder por los niños menores.

¿Cuál fue el resultado? Más del 60 por 100 de los habitantes se consideraba indio.

La categoría de los *cholos* mezclaba todas las variaciones del mestizaje: negros/indios, indios/blancos, negros/blancos, negros/indios/blancos. En cuanto a los africanos, descendientes de los negros deportados durante la colonización para suplir a los esclavos indios exterminados, y que son numerosos en Bolivia (sobre todo en la región de los Yungas), no se tenían en cuenta en ninguna categoría del censo.

Actualmente existen alrededor de doce mil comunidades indias en Bolivia. Son de tamaños variables, comprendiendo entre cincuenta y cuatro mil familias. Aun cuando hayan emigrado a la ciudad o vivan en un campamento minero, el indio y la india siguen estando sometidos a la autoridad del *Mallku*, del jefe y su consejo.

El origen de todos estos pueblos andinos tan atractivos, multiformes, con culturas que desbordan riquezas, sigue siendo misterioso: todos los antropólogos contemporáneos entrevén un origen común en Siberia. Unos doce mil años a. C., que las primeras familias y los primeros clanes indios habrían atravesado el estrecho de Bering, en Alaska.

Con sus cumbres de más de 6.000 metros de altitud, sus áridas mesetas, sus fértiles valles, sus torrentes y sus desfiladeros, los Andes se extienden a lo largo de más de 7.000 kilómetros en todo el oeste del continente sudamericano. Albergan una multitud de civilizaciones milenarias. Al oeste, los Andes están bordeados por el océano Pacífico, al este por las junglas tropicales de la Amazonia y del Matto Grosso.

Actualmente, los tres principales Estados andinos —Bolivia, Perú y Ecuador— conservan una fuerte proporción de habitantes de origen indio. Tiwanaku es su capital sagrada común.

Regresemos al 21 de enero de 2006.

La caravana de camiones, camionetas, jeeps, coches y motocicletas llega a lo lejos. Los alrededores de Tiwanaku son llanos. Desde lo alto de los muros donde se apretuja ahora una muchedumbre excitada, puede percibirse a lo lejos la columna de polvo.

Se aproxima rápidamente. Son las 11:30. Los sacerdotes hacen resonar el sonido sordo y potente de sus trompas.[1]

Pronto, la caravana se detiene. El sol del verano luce alto en el cielo. El aire está saturado de incienso y olores a maíz tostado.

De la camioneta que llega al frente, un hombre fuerte, musculoso, de cara alargada, nariz prominente y altos pómulos, que lleva como un casco sus cabellos espesos de color negro, salta a tierra. Tiene la agilidad de un adolescente.

La muchedumbre amontonada en los muros aplaude a rabiar. La cacofonía de los instrumentos de música, *charangos* (guitarras), tambores, trompetas, flautas y címbalos, rompe en ese momento los tímpanos.

Los sacerdotes con ponchos rojos se acercan ahora con respeto.[2] Llevan la *whipala*, la bandera con los siete colores del arco iris.

Evo Morales Ayma viste un amplio poncho negro. Cintas de colores rojo, verde y amarillo —los colores de Bolivia— adornan, como guirnaldas, su cuello y sus hombros.

Los sacerdotes entregan al presidente un gran pan cocido esa misma mañana en uno de los hornos en actividad detrás de la pirámide de Akapana, *el pan de la Pachamama*, de la Madre Tierra.

Evo toma el pan y se lo pone sobre su cabeza en señal de sumisión a la diosa madre.

Los sacerdotes le quitan el poncho y la camisa a Evo, que ahora tiene el torso desnudo. Invocan a Tata Inti, el Padre Sol, luego a la Pachamama, la Madre Tierra. Con gestos enérgicos, frotan la parte superior del cuerpo de Evo. Lo untan con una mixtura de hojas de eucalipto, ortiga y malva. El cuerpo recibe así las fuerzas de la naturaleza.

Luego recubren a Evo con un poncho rojo con franjas negras.

A pie esta vez, el cortejo retoma su progresión. Decenas de miles de indios de todas las edades y todas las procedencias —un río colorado, abigarrado, ruidoso y poderoso—, se precipitan detrás de él. El cortejo, sacerdotes aymara al frente, se dirige hacia la Puerta del Sol.

En la explanada, Evo Morales Ayma, elegido en la primera vuelta, en diciembre de 2005, por el 53 por 100 de los votos, presidente ciento noventa y tres de Bolivia, toma la palabra.[3] Es un orador mediocre. Su voz, primero titubeante, se va volviendo firme poco a poco. Elige sus palabras con prudencia. Como la mayoría de indios, habla pausadamente.

A veces, aflora la emoción.

En las ruinas de Tiwanaku, el silencio sólo se rompe ocasionalmente por un perro que ladra, un bebé que llora.

El viento del verano agita suavemente las ramas de los raquíticos arbustos que cubren la explanada.

Evo Morales Ayma es el primer presidente indio electo en América del Sur. Un occidental no puede calibrar del todo lo que significa este acontecimiento para los pueblos andinos. Quinientos años de humillaciones y sufrimientos parecen llegar a su fin en esta mañana en Tiwanaku.

La inauguración «oficial» (criolla, blanca) de la presidencia de Evo Morales Ayma no tendrá lugar más que al día siguiente, ante el Congreso Nacional, en el gran caserón blanco, rematado por un reloj ridículo, en la plaza Murillo de La Paz. Allí, Evo hablará a los jefes de Estado invitados procedentes del mundo entero, los diputados y los hombres importantes. Jurará fidelidad a la Constitución, empleará fórmulas convenidas, mantendrá conferencias de prensa y sonreirá a las cámaras de las cadenas de televisión occidentales.

Pero todo parece indicar que es aquí, bajo el sol estival de mediodía en Tiwanaku, ciudad sagrada de los pueblos andinos, donde el hijo de la Pachamama recibirá su verdadera investidura, que extrae su legitimidad profunda de manos de los sacerdotes de Tata Inti, el Padre Sol.

Todo el rito se celebrará en quechua.

Gestos y sonidos que tienen más de mil años de historia.

¿Qué dijo ese día Evo Morales Ayma?: «Hermanas y hermanos de los pueblos indígenas de Bolivia, de los países de América Latina y de todo el mundo: hoy día empieza una nueva era para los pueblos originales del mundo, una nueva vida en la que buscamos igualdad y justicia, una nueva era, un nuevo milenio para todos los pueblos del mundo. [...]

»Me siento muy emocionado, convencido de que sólo con la fuerza y la unidad del pueblo vamos a acabar con el Estado colonial. [...]

»Asumo este compromiso, en lo más sagrado de Tiwanaku, este compromiso para defender al pueblo indígena originario, no sólo de Bolivia, sino de toda América».[4]

Evo Morales debe su victoria electoral al Movimiento al Socialismo (MAS), una alianza de sindicatos campesinos, mineros y urbanos. La fuerza dominante del MAS es el sindicato de los *cocaleros*, los plantadores de coca; volveremos sobre ello.

Pero Evo Morales sabe perfectamente que el MAS es una estructura frágil sacudida por conflictos, que debe su victoria no a un aparato político, a un partido, sino a algo mucho más misterioso, mucho más profundo: a una insurrección de las conciencias, las identidades y las memorias ancestrales. «Gracias a la Madre Tierra, gracias a nuestro dios, la conciencia ha ganado las elecciones y ahora la conciencia del pueblo va a cambiar nuestra historia, hermanas y hermanos. [...]

»Envío un saludo especial a los ponchos rojos, a los hermanos jilakata, los mallkus y los mamatallas».[5]

La clandestinidad, la tortura y el desprecio racista le enseñaron una cosa a Morales: se necesita un cuidado, una prudencia y una determinación permanentes para desbaratar las artimañas del enemigo.

No todos los dignatarios indios son unos santos.

Ahora bien, la unidad de los oprimidos era la clave de la supervivencia en la época del Estado colonial. Actualmente es la condición del éxito del gobierno popular.

La *whipala*, la bandera a cuadros con los colores del arco iris, cuyo origen se remonta a los incas, flota en adelante en cada una de las manifestaciones del MAS. Manifiesta la adhesión del Movimiento a la pluralidad de las etnias y las culturas legítimamente presentes en Bolivia.

En resumen, Morales y el MAS se sitúan en las antípodas del integrismo étnico. En Tiwanaku, Morales lanzó este llamamiento a la unidad: «Quiero pediros, hermanas y hermanos, la unidad, la unidad en todo [...]».

Porque las relaciones de producción en Bolivia estuvieron marcadas, desde la invasión española hasta nuestros días, por un violento racismo. Ahora bien, cualquiera que sea su comunidad de pertenencia, los indios son subproletarios —explotados, oprimidos y expoliados— desde hace cinco siglos.

Con una alianza entre los sindicatos de campesinos y ganaderos del Altiplano, los Yungas y Chapacos, por una parte, y los sindicatos de mineros, por la otra, el MAS está desde luego fuertemente marcado por las tradiciones étnicas y culturales de sus miembros. Pero el MAS es ante todo un frente de clase. Y de hecho, la organización debe procurarse con toda urgencia aliados, porque sólo la lucha transclasista permitirá entrever la victoria: «Muchos hermanos profesionales, intelectuales, pertenecientes a la clase media, se incorporaron a nuestro combate. En tanto que aymara, me siento orgulloso de estos profesionales e intelectuales de clase media, pero también les pido a los hermanos de la clase media, de la clase profesional, intelectual, empresarial, que ustedes también deben sentirse orgullosos de estos pueblos indígenas originarios: aymaras, quechuas, mojeños, guaraníes, chiquitanos, yuracarés, chipayas, muratos. Respetando la diversidad, respetando lo diferente que somos, todos tenemos derecho a la vida».

La ruptura de Morales con Occidente es inequívoca. En el centro del discurso de Tiwanaku, se encuentra este llamamiento a la solidaridad internacional:

«Por eso quiero decirles a los hermanos de América, de todo el mundo: unidos y organizados cambiaremos las políticas económicas que no contribuyen a mejorar la situación económica de las mayorías nacionales. A esta altura nos hemos convencido que concentrar el capital en pocas manos no es ninguna solución para la humanidad; el concentrar el capital en pocas manos no es la solución para los pobres del mundo entero. [...] Por eso tenemos la obligación de cambiar esos problemas económicos engendrados por la privatización y la subasta de nuestros recursos naturales. [...] Los movimientos sociales queremos seguir avanzando, avanzando para liberar nuestra Bolivia, liberar nuestra América. Esta lucha que nos dejó Túpac Katari sigue, hermanas y hermanos, y continuaremos hasta recuperar todo nuestro territorio. La lucha que nos dejó Che Guevara, vamos a cumplirla nosotros y llevarla hasta el final. Esta lucha no se para, no acaba nunca. En el mundo gobiernan los ricos o gobiernan los pobres. [...] Por eso, hermanas y hermanos, gracias al voto de ustedes, por primera vez en la Historia boliviana, los aymaras, los quechuas y los mojeños son presidentes. No solamente Evo es el presidente, sino que todos somos presidentes. Muchísimas gracias».[6]

3

EL ORGULLO RECUPERADO

En el curso de los quinientos años pasados, la pertenencia india se vivió en América de dos formas contradictorias: ya sea como un estigma impuesto por la mirada occidental e interiorizado en la vergüenza, ya como una dignidad abofeteada, un refugio identitario y una experiencia para la liberación futura.

Nunca, en todo caso, durante estos cinco siglos, se apagó la brasa bajo la ceniza.

¿Cuáles fueron entonces los acontecimientos que provocaron este formidable renacimiento indio?

En Bolivia, la ruptura completa con el Estado colonial, nacida de un rechazo profundo y definitivo a Occidente, se anunciaba ya en 1992. El Estado colonial y su gobierno blanco se preparaban para celebrar con fiestas grandiosas y en compañía de numerosos invitados, especialmente procedentes de Europa, el Quinto Centenario del «descubrimiento de las Américas» por parte de Cristóbal Colón.

Efectivamente, el 12 de octubre de 1492, la *Santa María*, la *Pinta* y la *Niña* habían atracado en Guanahani, una de las islas del archipiélago de las Lucayas (Bahamas).[1] La suntuosa fiesta de aniversario, el desfile militar y las ceremonias diplomáticas tenían que desarrollarse en La Paz del 12 al 14 de octubre.

En el Prado, ante la columna de mármol blanco que preside el «Descubridor» y en la catedral de la plaza Murillo, estaba previsto un *Te Deum* en presencia de decenas de cardenales, obispos y arzobispos llegados de toda América Latina y de Europa.

Ahora bien, la mañana del 12 de octubre, cuando se anunciaba un bello día de la primavera andina, varios cientos de miles de aymaras, de quechuas, de moxos y de guaraníes vestidos con trajes tradicionales, queñas y bajones en la cabeza, y las mujeres llevando a los niños más pequeños en mantas de lana de llama a sus espaldas, fueron convergiendo hacia el cañón de La Paz.

Los indios abuchearon a Cristóbal Colón, derribaron las tribunas de honor y ocuparon la capital durante cuatro días. En todas las plazas de la inmensa ciudad, a la caída de la noche, se encendieron fogatas con madera, en las que colocaron grandes vasijas. Los indios cocinaron en ellas su quinoa. Una negra humareda cubría la ciudad.

El pavor se apoderó de los occidentales. A la mañana del quinto día, los indios subieron de nuevo el cañón para regresar pacíficamente a sus comunidades en el Altiplano, y sus villas y aldeas en las tierras bajas.

Los caminos de la Historia son enigmáticos. La ocupación de La Paz por los indios en octubre de 1992, ese acontecimiento que tanto traumatizó a los occidentales, no fue aparentemente más que una manifestación aislada.

Pero, en realidad, anunciaba la tempestad que se avecinaba.

Esta tempestad lleva un nombre: la guerra del agua.

Propietario minero, que hablaba español con acento norteamericano, Lozada era el prototipo mismo del sátrapa neoliberal instalado por Occidente en el Palacio Quemado. Millonario en dólares, había vivido la mayor parte de su vida en Miami. Aplicaba concienzudamente la política de privatización dictada por sus amos. Para él, los bolivianos habían inventado un término pintoresco: «Vende-patria», el que vende el país pedazo a pedazo.

Cuando ya no quedó riqueza minera que privatizar —es decir, que vender a las sociedades multinacionales extranjeras—, Lozada aceleró la privatización del agua potable comenzada por su predecesor, el general Bánzer. Las sociedades occidentales obtuvieron las concesiones de aprovisionamiento de agua potable de las principales municipalidades. Fue así como Aguas del Tunari, filial de la multinacional británica International Water Limited, recibió por un precio ridículo la concesión de la ciudad de Cochabamba. La red, las estaciones de depuración de El Alto fueron, por su lado, vendidas a Aguas del Illimani, propiedad de Suez.

Los nuevos propietarios efectuaron algunas reparaciones en los conductos, y luego aumentaron masivamente el precio del agua potable. Cientos de miles de familias se encontraron entonces en la imposibilidad de abonar su factura de agua. Tuvieron que abastecerse en los arroyos contaminados y en los pozos infestados por el arsénico. Los muertos por «diarrea sangrante» se dispararon entre los niños de tierna edad.

Estallaron manifestaciones públicas.

Sánchez de Lozada proclamó el estado de sitio. Se instauró el toque de queda.

En el curso de los enfrentamientos con la policía que siguieron, murieron decenas de personas y hubo cientos de heridos, entre los cuales se encontraban numerosas mujeres y niños. Pero los bolivianos no se doblegaron. Al contrario, el movimiento se amplificó a través de todo el país.

El 17 de octubre de 2003, rodeados en el Palacio Quemado por una muchedumbre furiosa de más de doscientos mil manifestantes, el presidente Sánchez de Lozada y sus más próximos acólitos decidieron huir del país. Dirección: Miami.

Un pálido vicepresidente de nombre Carlos Mesa, de oficio profesor, se hizo cargo de la sucesión constitucional. Con el pueblo sublevado, realizó una serie de promesas solemnes, especialmente la convocatoria de una Asamblea Constituyente que se encargaría de la redacción de una nueva Constitución, que reconocería el derecho de las comunidades indias a las riquezas de su subsuelo y, por tanto, al agua.

Pero el profesor insulso no mantuvo ninguna de sus promesas. De manera que, de mayo a junio de 2005, se reanudó la rebelión popular y el ejército ocupó el Altiplano.

Desde su helicóptero, el ministro del Interior dirigió personalmente el ametrallamiento de los cortejos de protesta y de las barricadas levantadas en las carreteras por los mineros y los campesinos. El ejército rastrillaba permanentemente los principales pueblos y ciudades del Altiplano.

Los asesinatos nocturnos de indios —sindicalistas, cultivadores, hombres y mujeres— se multiplicaron. Los escuadrones llegaron incluso a exterminar a familias enteras.

Las comunidades se levantaron entonces en masa. Expulsaron primero a los comandos del ejército, y finalmente a todos los representantes del Estado. A continuación, una parte importante del inmenso Altiplano fue proclamada «zona india autónoma».

El profesor mentiroso dimitió. Se fijaron nuevas elecciones presidenciales. Pero, entretanto, los principales movimientos de resistencia contra la privatización del agua, los sindicatos de *cocaleros* y las comunidades de los cultivadores del Altiplano constituyeron un frente de resistencia.

De este movimiento insurreccional popular, rápidamente emergió Evo Morales como uno de sus principales dirigentes. Su extraordinario valor físico, su temperamento caluroso y su formidable talento como organizador le valieron la admiración y la simpatía de los insurgentes.

El movimiento designó lógicamente a Evo Morales como su candidato a la elección presidencial. Las elecciones tuvieron lugar el 18 de diciembre de 2005. Evo fue elegido, como ya he dicho, ¡con el 53,7 por 100 de los votos en la primera vuelta! Un resultado que ningún presidente de Bolivia jamás había alcanzado en toda la historia del país.

La biografía de Evo Morales se parece hasta la confusión a la de decenas de millones de niños indios de los Andes.

Miseria y hambre, hambre y miseria.

Evo nació el 26 de octubre de 1959 en una choza de la pequeña aldea de Orinoca, en el departamento de Oruro. Durante los meses de invierno (de junio a octubre), los vientos helados barren los altiplanos. En verano (de noviembre a mayo), suele producir estragos la sequía.

Los pozos se vacían. Las plantas mueren. La ausencia de lluvia hace que el suelo se vuelva duro como la piedra.

Cuatro de sus hermanos perecieron por desnutrición en su más tierna edad. Con la energía de la desesperación, el padre y la madre, ínfimos cultivadores procedentes de una comunidad aymara, intentaron mantener con vida a los tres hijos que les quedaban.

El padre y Evo emigraron temporalmente a Argentina, como cortadores de caña de azúcar.

En 1981, una catástrofe se abatió sobre los altiplanos: el huracán tropical «El Niño» aniquiló el 70 por 100 de la producción agrícola y el 50 por 100 de los animales en el departamento de Oruro. La familia decidió entonces partir hacia las selvas tropicales de las tierras bajas.

En el Chapare, la familia se dedicó a la tala. En la linde, construyó una choza de tablas con un techo de hojas de palmeras.

Comenzó entonces a plantar coca.

Aquí, un paréntesis.

La mata de coca es una planta extremamente rentable. Exige pocos cuidados, crece prácticamente sola y produce tres cosechas anuales. En los mercados de Santa Cruz, de Trinidad, de La Paz o de Sucre, su precio es bueno. Es estable. El mercado está garantizado.

Al trabajar a 500 metros bajo tierra, en condiciones de higiene y de respiración espantosas, decenas de miles de mineros en todo el país mascan hojas de coca. Para soportar la intemperie, la miseria y la desesperación, los cultivadores y los ganaderos también mascan hojas de coca.

En la boca del consumidor, las hojas forman una bola. Su

jugo fluye lentamente en el estómago, provoca la contracción de sus músculos y permite olvidar el hambre.

Para las autoridades bolivianas, se plantea una cuestión casi insoluble: ¿cómo conciliar la lucha contra el crimen organizado, que transforma en sus laboratorios clandestinos las hojas en cocaína, y el derecho legítimo de los campesinos de cultivar y de vender a los consumidores bolivianos hojas de coca?

La reglamentación en vigor es la siguiente: el gobierno de La Paz evalúa anualmente las necesidades internas de los consumidores bolivianos de hojas de coca. Delimita en consecuencia las superficies legalmente cultivables. Doce mil hectáreas en el Chapare, ocho mil en los Yungas (en el año 2007). El ejército destruirá cualquier plantación de coca que no concierna a estas superficies.

En el Chapare, la familia de Evo Morales cultivaba tierras oficialmente reconocidas como destinadas al cultivo de la hoja de coca.

Una mañana, en el Palacio Quemado, le pregunté a Evo Morales si algún acontecimiento concreto podía considerarse como iniciador de su compromiso político.

Me explicó que, en efecto, siendo joven, había asistido un día, en una aldea del Chapare, a la disputa entre un cultivador de hojas de coca conocido suyo y oficiales bolivianos asistidos por agentes de la Drug Enforcement Administration (DEA) estadounidense. Ante su familia y sus vecinos impotentes, el campesino aymara había sido torturado por los soldados. Y luego quemado vivo. A la mañana siguiente de este asesinato, Evo se inscribió en el sindicato de *cocaleros* de su región.

La DEA acusaba entonces a los cultivadores de las tierras «legales» de vender su cosecha a los laboratorios clandestinos. Para los bolivianos, de todos los partidos, la DEA se consagraba sobre todo a la represión de la protesta popular, y por tanto a la protección de los privilegios de los magnates mineros y petroleros de Estados Unidos.[2]

En 1997, un helicóptero de la DEA ametralló la sede de la Asociación para la Protección de los Derechos Humanos del Chapare, donde Evo participaba en una reunión. Por milagro, salió indemne. Otros participantes murieron y otros más fueron gravemente heridos.

Detenido varias veces e interrogado bajo tortura por mercenarios norteamericanos, el joven sindicalista no despegó los labios. En Bolivia, el racismo antiindio es violento. Evo se dio cuenta gracias a los insultos que le lanzaron sus verdugos.

La más poderosa organización sindical de productores de hojas de coca lleva un nombre poético: las Seis Federaciones del Trópico de Cochabamba. Evo fue elegido su presidente a finales de la década de 1990. Cuando en 1997 se constituyó el MAS (Movimiento al Socialismo), las Seis Federaciones se convirtieron en su espina dorsal.

4

LA REAPROPIACIÓN DE LAS RIQUEZAS

Desde su llegada al poder, Evo Morales puso en funcionamiento una triple estrategia: la reconquista de las riquezas mineras, petroleras y agrícolas; la lucha contra la miseria; la destrucción del Estado colonial y la construcción de un Estado nacional.

Recordemos en primer lugar cómo se llevó a cabo el movimiento de nacionalización de los recursos naturales.

Pocas veces en la historia del mundo, una transferencia de propiedad tan gigantesca se efectuó en un lapso de tiempo tan corto. Bolivia posee las reservas de gas más importantes de toda América Latina y reservas petrolíferas equivalentes a las de Arabia Saudí. También posee el gasoducto más sofisticado y el más costoso del mundo: el de Cuiabá, que conduce el gas de San Alberto (a través de los desiertos desolados del Chaco y las junglas del Matto Grosso) hasta el Atlántico. Su construcción costó cinco mil millones de dólares, financiada por Shell y el trust Enron.

El Banco Mundial calcula que, durante los dos próximos decenios, Bolivia conseguirá de la venta de sus hidrocarburos más de cien mil millones de dólares netos (de valor constante).

Al amanecer del primero de mayo de 2006, el avión de las fuerzas armadas bolivianas que transportaba al gabinete *in corpore* tomó la dirección de la localidad de Carapari, situada a mil doscientos kilómetros al sur de La Paz. Cuando el presidente y su cortejo llegaron ante el pórtico de las instalaciones gaseras de San Alberto, el director acudió apresuradamente y preguntó al presidente cuál de los campos gasíferos le gustaría visitar.

Evo Morales le sonrió y respondió: «No he venido de visita, sino para tomar —en nombre del pueblo boliviano— el control de sus instalaciones».

Bruscamente, el director y los ejecutivos occidentales comprendieron el sentido de la visita que les había hecho la víspera un grupo de ingenieros argelinos y noruegos. Actuando en nombre de Yacimientos Petrolíferos Fiscales Bolivianos (YPFB), la compañía nacional de hidrocarburos, estos ingenieros fingieron realizar controles de seguridad. Pero, en realidad, los especialistas habían ido para colocar discretamente aparatos ultrasofisticados que volvían imposible cualquier intento de sabotaje de las instalaciones por parte de los directivos, ingenieros y técnicos de las sociedades propietarias.

Durante esta misma jornada del primero de mayo de 2006, por todo el país, los regimientos de elite del ejército ocuparon los campos petrolíferos y gasíferos, las estaciones de bombeo, las refinerías, los talleres, las salas de mando electrónico de los oleoductos y gasoductos, las cocheras de ferrocarril, las estaciones de autobuses, las sedes administrativas y los centros de comunicación internacional de las compañías extranjeras.

Evidentemente, sería absurdo no ver en la expedición de Evo Morales a Carapari otra cosa que la gesticulación fanfarrona de un cowboy juvenil. La complejísima operación llamada del «restablecimiento de la soberanía energética» había sido preparada, al contrario, en el secreto más absoluto, a lo largo de seis meses; más concretamente, justo a partir del día siguiente a la victoria electoral de Evo Morales en diciembre de 2005.

La YPFB, que había sido desmantelada por Sánchez de Lozada, era entonces una cáscara vacía. Los ingenieros petroleros y gaseros bolivianos competentes se contaban, además, con los dedos de una mano.

Evo hizo un llamamiento a los jefes de Estado amigos. En Argel, el presidente Buteflika respondió inmediatamente. El presidente venezolano Hugo Rafael Chávez Frías manifestó la misma solidaridad.

Más sorprendente fue la colaboración noruega. Desde la explotación de los bancos petrolíferos en las profundidades del Mar del Norte, Noruega desarrolló una competencia mundialmente respetada en materia de extracción y de gestión petrolíferas. Noruega, país luterano cuyos dirigentes (especialmente en la época del gobierno socialista de Stoltenberg) y cuyo pueblo obedecen a una moral rigurosa en materia de política internacional, no dudó en enviar a sus ingenieros a Bolivia.

Los tres gobiernos mencionados enviaron también a Bolivia expertos en mercadotecnia, gestores y contables de alto nivel. Pero fue el gobierno venezolano el único que se encargó de hacer redactar a un célebre y costoso gabinete de abogados de Nueva York los nuevos contratos que Bolivia sometería pronto a la firma de las reservas gasíferas y petrolíferas occidentales.

El restablecimiento de la soberanía energética emprendido por Evo Morales obedecía a un método sutil y complejo. Se trataba de actuar de modo que las sociedades petroleras y gasíferas extranjeras (sus ingenieros, su tecnología, etc.) continuaran operando en el país, aunque transformándolas, de sociedades privadas todopoderosas que eran, en sociedades de servicio que funcionan bajo las órdenes del Estado boliviano.

Los noruegos, en concreto, proporcionaron los cálculos básicos. Calcularon, para cada uno de los yacimientos petrolíferos y gasíferos, la tasa exacta de rentabilidad. En otros términos: determinaron bajo qué condiciones precisas (de tasación, de retrocesión de las patentes, etc.), impuestas por el Estado boliviano, las sociedades podrían extraer los beneficios capaces de satisfacer las exigencias de sus accionistas.

Desde tiempo antiguo, el menor ataque contra el poder y los beneficios astronómicos obtenidos por las sociedades petroleras occidentales provoca inmediatamente en el mundo entero gritos de escándalo, un concierto de difamaciones y de lamentos ensordecedores. Los Estados occidentales que las protegen nunca titubearon ni ante la organización de golpes de Estado ni ante el asesinato. Como se recordará, Muhammad Mossadegh llevó a cabo la disolución de la Anglo-Iranian Oil Company en 1951. Organizado por los servicios secretos británicos, un golpe de Estado militar lo derribó dos años más tarde.

Jaime Roldós era el presidente democráticamente elegido de Ecuador. La tarde del 23 de mayo de 1981, ante una muchedumbre inmensa reunida en el estadio olímpico de Arajualpa, en Quito, anunció la nacionalización de los campos petrolíferos del Amazonas ecuatoriano.

Católico ferviente, Roldós pretendía movilizar los beneficios del petróleo para sacar a su pueblo de la miseria.

Después de la manifestación, el presidente, su mujer Martha y algunos de los colaboradores de los que se había rodeado tomaron el avión para dirigirse a Lojas, una comunidad india del sur, especialmente afectada por la contaminación del petróleo.

El aparato explotó en pleno vuelo.[1]

Evo Morales, por su parte, salió victorioso.

Gracias a los estudios noruegos, el gobierno boliviano sabía exactamente hasta dónde podía llegar. En otros términos, sabía cuáles eran las condiciones de reapropiación aceptables para las sociedades occidentales. Los noruegos no se equivocaron. Hasta el 31 de diciembre de 2006, doce sociedades transcontinentales extranjeras firmaron cuarenta y cuatro nuevos contratos.

Al aceptar el decreto n° 28.701, las compañías extranjeras pueden hoy día, mediante la firma de un nuevo contrato, continuar explotando y comercializando los hidrocarburos.

El decreto n° 28.701 del 1 de mayo de 2006, llamado del

«restablecimiento de la soberanía energética», actúa a tres niveles diferentes. En primer lugar, decreta que todos los campos petrolíferos y gasíferos de Bolivia son a partir de ahora propiedad del Estado. Las instalaciones necesarias para su explotación (oleoductos y gaseoductos, estaciones de bombeo, centros de comunicación, etc.) pertenecen a las sociedades explotadoras, que son responsables de su mantenimiento, reparación y desarrollo.

El Estado acuerda las nuevas concesiones de perforación según este mismo principio. No obstante, las sociedades están autorizadas para negociar el reparto de los gastos de prospección. El Estado participa así, de hecho, en los gastos de investigación, que son, por lo general, muy elevados, al ser numerosas las perforaciones improductivas.

La nueva legislación estipula finalmente que el 18 por 100 del precio de venta del barril corresponderá a la sociedad productora y el 82 por 100 al Estado. Las sumas en juego varían evidentemente según el precio del barril en el mercado mundial. Se calculan FOB (*Free on board*) y no CIF (*Cost insurance freight*), o dicho con mayor claridad: es en el momento en que el barril atraviesa la frontera boliviana en el oleoducto que lo conduce al puerto de Santos, en el estado de São Paulo, en Brasil, cuando se lleva a cabo el reparto de los beneficios.

Hasta el momento, ningún avión que haya transportado a Evo Morales ha explotado en vuelo. Evo tampoco ha sido abatido por un sicario.

Si conserva su vida, probablemente se lo debe a dos antiguos profesores de sociología de la Universidad de París-Vincennes: Marco Aurelio García y Emir Sadr, que en la actualidad son influyentes consejeros del presidente brasileño Luiz Inácio Lula da Silva. Tienen un amigo común en La Paz: el vicepresidente de la República, Álvaro García Linera, también él antiguo exiliado en Francia y excelente sociólogo.

La sociedad petrolera Petrobras, perteneciente al Estado brasileño, es uno de los principales operadores gasíferos en

Bolivia.[2] Ahora bien, Marco Aurelio García, Emir Sadr y Álvaro García Linera habían anticipado, mucho antes del 1 de mayo de 2006, la respuesta a la guerra ideológica que los medios de comunicación occidentales, a menudo financiados por los gigantes petroleros, no dejarían de lanzar contra Evo Morales. Fue así como el 2 de mayo de 2006 por la mañana, el presidente Lula da Silva hizo publicar en Brasilia un comunicado en el que decía comprender la operación boliviana y aceptar las consecuencias financieras para Petrobras.

Marco Aurelio García: «Cuando me dijeron que Evo estaba desestabilizando Bolivia, respondí que era al revés: si no hubiera mantenido sus promesas de campaña, Bolivia habría sido arrasada por la violencia».[3]

El hecho de que Petrobras hubiera aceptado inmediatamente las medidas bolivianas, juzgándolas «razonables», cortó la hierba bajo los pies de las sociedades occidentales: ni Total, ni British Petroleum, ni Repsol, ni Exxon, ni British Gas, ni ninguna otra sociedad pudieron movilizar a sus opiniones públicas y sus gobiernos respectivos. Se volvió imposible obtener y legitimar una acción violenta contra Bolivia.

Lo que se había logrado perfectamente en Irán, en Ecuador, en Irak y en otros varios países productores de petróleo africanos o árabes, entre los que habían manifestado veleidades de independencia —a saber, la intervención armada extranjera, el *putsch* militar o el asesinato de sus dirigentes—, se reveló imposible de realizar en Bolivia.

Y a partir de 2006, los nuevos contratos produjeron importantes ingresos fiscales. Éstos se elevaron a mil trescientos millones de dólares en 2006, y a mil quinientos millones en 2007. Por comparación: en 2003, el Estado boliviano sólo había percibido doscientos veinte millones de dólares de las sociedades petroleras y gasíferas.

Estas ganancias petroleras y gaseras representaron el 9,7 por 100 del PIB en 2006 y el 11,2 por 100 en 2007, contra el 2,8 por 100 en 2003.

Inmediatamente después del petróleo y el gas, Evo Morales acometió el tema de las minas. Y lo hizo en virtud de los mismos métodos y según el mismo modelo que había utilizado en el terreno de los hidrocarburos.

Así, se anuló la concesión a las sociedades occidentales que explotaban las minas de oro, plata, estaño, zinc, etc., y se les invitó a firmar un contrato de servicio. Perdieron la propiedad de los yacimientos (que regresó a manos de la COMIBOL, la sociedad estatal minera) y tuvieron que aceptar el pago de tasas, impuestos, cánones y patentes de un nivel elevado, pero variable según la evolución del mercado mundial del mineral en cuestión.

En 2006, las exportaciones mineras aumentaron un 126 por 100. Su valor alcanzó los mil millones de dólares, representando los ingresos mineros un 14,7 por 100 del PIB del mismo año.

A continuación, se integró en el sector público, según las mismas modalidades, la siderurgia y la electricidad, mayoritariamente en manos de sociedades privadas norteamericanas.

Evo Morales no se arredra ante el embargo cuando una sociedad extranjera se niega al diálogo. Por ejemplo: la sociedad transcontinental Glencore,[4] que opuso una negativa categórica a las ofertas de negociación bolivianas. En febrero de 2007, su fundición de metales, en Vinto, fue ocupada por el ejército y requisada por el Estado.

5

VENCER LA MISERIA

Heredada del Estado colonial, la miseria en Bolivia es espantosa. Vencerla lo más rápidamente posible es el segundo objetivo que se ha fijado el nuevo presidente. Hay que decir que, después de Haití, Bolivia es el segundo país más pobre del continente.[1] La desnutrición grave y permanente afecta allí a un niño de cada cuatro. Donde la desnutrición infantil es más elevada es en las zonas rurales, especialmente en las regiones de los altiplanos de Potosí y de Chuquisaca, pero también en los departamentos amazónicos de Beni y de Pando.

En los cuatro departamentos más afectados, son los niños de las comunidades de los pueblos autóctonos quienes soportan los mayores sufrimientos.

En el plano nacional, la diferencia entre las familias quechua, aymara, guaraní (y otros pueblos autóctonos) y las familias mestizas o blancas es impresionante: la desnutrición grave y permanente hace estragos en el 28 por 100 de las familias indígenas y el 16 por 100 de las familias mestizas y blancas.

Las víctimas con el índice de desnutrición más elevado son los afrobolivianos.

En Bolivia, la carencia en micronutrientes provoca hecatombes.[2]

Entre las enfermedades más comunes y más extendidas provocadas por esta insuficiencia se encuentran el kwashiorkor, la anemia, el raquitismo y la ceguera. Los adolescentes víctimas del kwashiorkor tienen el vientre hinchado, sus cabellos se vuelven rojizos y la pigmentación amarilla. Pierden sus dientes. El raquitismo impide el desarrollo normal del esqueleto del niño. En cuanto a la anemia, ataca al sistema sanguíneo y priva a la víctima de energía y de toda capacidad de concentración.

La mitad de los niños bolivianos de menos de diez años padece anemia y otras deficiencias en micronutrientes: especialmente, yodo, vitamina A y hierro.

En los niños de menos de cinco años, la desnutrición es especialmente devastadora: las células (o neuronas) de su cerebro no se desarrollan, o lo hacen de un modo insuficiente. Lo que significa que decenas de miles de niños bolivianos, cada año, se vean condenados a una vida de invalidez cerebral permanente.

Pero hay que insistir en que la extrema pobreza afecta a las comunidades originarias de una manera mucho más violenta que a las comunidades mestizas o blancas. El 49 por 100 de los indios vive en una miseria abyecta, frente al 24 por 100 de los mestizos.

Los más pobres entre los pobres son los trabajadores migrantes agrícolas y los campesinos que sólo disponen de parcelas de una o media hectárea en el Altiplano. Las grandes ciudades están cada vez más rodeadas por chabolas, llamadas púdicamente «vivienda informal» por los burócratas de la ONU.

También ahí, las ratas disputan su magra pitanza a los niños.

Más del 60 por 100 de la población de los departamentos de Potosí y de Chuquisaca vegeta por debajo de la «línea de pobreza nacional»,[3] sufriendo hambre, carencia de agua potable, viviendas indignas y paro permanente. En el departamento de Santa Cruz, en cambio, esa cifra desciende por debajo del 25 por 100.

Las condiciones de trabajo, especialmente en las minas, son infernales.

Al pie de la montaña pelada que domina la ciudad de Oruro, visité en 2007 la Cooperativa Minera La Salvadora. El calor humano, la dignidad y la fraternidad que allí reinan me emocionaron. La región es muy rica en metales.

La cooperativa explota tres minas distintas: la primera se llama «Corazón de Jesús»; la segunda, «Ernesto Che Guevara»; y la tercera, «San José».

La edad mínima requerida por los estatutos de la cooperativa para ser autorizado a trabajar es de diecisiete años.

El campesino (o la campesina) hambriento se presenta en la oficina de la cooperativa. Si hay una plaza libre en un equipo, se le permite (a él o ella) que se integre. Los gastos de inscripción se elevan a cincuenta dólares.

Dos equipos se relevan: el primero desciende bajo tierra a las 7 de la mañana y vuelve a subir a las 3 de la tarde; a las 3 de la tarde, el segundo equipo llena el ascensor y desciende para regresar a las 11 de la noche; en ese momento, el primer equipo vuelve a bajar, etc.

Los mineros trabajan así durante diez días, y luego descansan otros cinco días.

Un minero de diecisiete años me dijo: «No hay noche ni día. Ni domingo... Salvo durante las Diabladas, en que no baja nadie».[4]

Los cascos, las lámparas, los picos y los martillos corren a cargo del minero. Puede comprarlos en el almacén de la cooperativa, o bien alquilarlos. Los cartuchos de dinamita y las perforadoras los proporciona gratuitamente la cooperativa.

Estas tres minas son muy antiguas. Los primeros libros de registro de los metales extraídos de San José se remontan a tres siglos y medio. Se extrae fundamentalmente plata y estaño, pero también otros metales.

Entré en el túnel de acceso de «Corazón de Jesús». Esta mina desciende a través de dieciocho niveles hasta los quinientos metros de profundidad. En cada uno de los niveles, en horizontal, hay perforados kilómetros y kilómetros de galerías.

Además del riesgo permanente de que se hundan las paredes, el gas constituye el peligro más obsesivo: nadie puede detectarlo. Los mineros del grupo se vigilan mutuamente. Cuando uno de ellos pierde la consciencia, los demás lo sacan del pasillo o de la galería.

A pesar de las reglas draconianas de prudencia, las explosiones de grisú son frecuentes. Y generalmente mortíferas.

Para matar el hambre, los mineros mascan hojas de coca. Y cada uno lleva permanentemente con él una pequeña botella de alcohol puro.

En los pasillos, de una altura de ochenta centímetros, los mineros se desplazan como reptiles. Trabajan acostados, desprendiendo la piedra de los techos y las paredes con su pico.

En el laberinto de galerías, corredores, ascensores y escalas, y a lo largo de los raíles por donde circulan las carretas empujadas por adolescentes, la temperatura es muy elevada: 40 grados de promedio. En cambio, en otras galerías, bruscamente, la temperatura cae a 10 grados bajo cero: la diferencia está en función de la naturaleza de las corrientes de aire que barren los subterráneos.

La ventilación es deplorable, las chimeneas de aireación son estrechas. Los mineros trabajan con el torso desnudo. Respiran con dificultad. El fino polvo producido por las perforadoras ataca los ojos, los pulmones y la piel.

La montaña se parece a un gigantesco hormiguero. Las galerías se despliegan incluso bajo las calles y las plazas del centro de Oruro...

En «Corazón de Jesús» se hacinan algo más de dos mil mineros, sobre todo hombres, pero también quince mujeres. Todos son miembros de la cooperativa y comparten entre ellos los gastos de mantenimiento de las instalaciones. La ganancia se consigue por mérito. El miembro de la cooperativa comercializa por sí mismo sus propios minerales.

Las cosas se desarrollan del siguiente modo.

El minero sale al aire libre con un pequeño saco sobre su espalda, tejido en una tela gris, que pesa alrededor de 15 kilos. Se necesitan tres días para llenar un saco. Éste contiene trozos de piedra recorridos por venas de metal. Metal que extraerá la trituradora de la *Changadora*.

El minero apenas obtiene cincuenta dólares al mes.

Estoy sentado frente al presidente de la cooperativa, Zamiro Helguero. Es un hombre gruñón y taciturno.

Es un *cholo*, un mestizo, con la cara marcada de chirlos y la mirada dura. En la ciudad, tiene mala reputación. Se lo considera un autócrata.

De adolescente, Zamiro conoció al legendario Juan Lechín, el dirigente del sindicato de los mineros.

También antiguo minero de fondo, Zamiro, se dice, desprecia a todos esos indios hambrientos que arriesgan su vida en «Corazón de Jesús», sin disponer de la formación necesaria ni, como se suele decir, de «amor por la montaña».

Zamiro se afirma estricto en la aplicación del reglamento: no se permiten niños en las minas.

Tras haber visitado ampliamente las instalaciones, fatigado, sentado ante un vaso de mate en la cantina, retomo mis preguntas.

En el túnel de acceso, me crucé con niños que me pareció que tenían entre diez y doce años.

Insisto.

Zamiro Helguero me dice: «Pero ¿qué quiere usted? No tenemos valor para rechazarlos... Sus familias son pobres. Tienen hambre. A menudo no hay padre. La madre se ocupa de los pequeñines. Los mayores se presentan en el Cerro. ¿Cómo mandarlos de vuelta?».

En Oruro, los niños de la calle mendigan su pitanza y la de sus hermanos y hermanas más pequeños.

Gran cantidad de estos mendigos son huérfanos de mineros muertos de silicosis o enterrados vivos bajo los desprendimientos de las galerías. Muchos otros niños, con frecuencia de corta edad, se han escapado de su familia: los padres todavía jóvenes, pero afectados por la silicosis y condenados al paro permanente, no soportan su situación. Sin contar que, tras quince años de trabajo abrumador, los mineros más robustos ya no son capaces de bajar a los pozos. Se vuelven entonces alcohólicos o drogadictos, la mayoría de las veces violentos. Sus hijos reciben golpes cotidianos, gritos e insultos. Con frecuencia también, abusos sexuales.

Los hijos huyen de casa.

Una pareja de maestros retirados, Julia y Fernando Sandalio, patrocinados por Emaús Francia y Emaús Suiza, intentan ayudar a algunos de ellos. Julia y Fernando abrieron dos escuelas llamadas Escuelitas Cooperativas Campito Emaús, una en San Pedro y la otra cerca del aeropuerto.

Doscientos ochenta niños y niñas de entre cinco y catorce años son recibidos allí cinco días a la semana, de 9 de la mañana hasta la caída de la noche. Allí reciben formación escolar y alimento.[5]

Desde finales de 2006, como hemos visto, los beneficios de las nacionalizaciones de los campos petrolíferos y gasíferos, refinerías, fundiciones y minas alcanzaron montantes nada desdeñables. Pero ¿qué hace el gobierno con ese maná? Reduce la deuda pública para salir de la dependencia, financia el presupuesto del Estado para asegurar su viabilidad y emprende reformas sociales para sacar al pueblo de la miseria.

Ya en 2006, se redujo la deuda de un modo considerable, mientras que el presupuesto estaba prácticamente equilibrado. La tendencia se acentuó en 2007.

Con la ayuda del PNUD, el gobierno elaboró, por lo demás, un plan nacional de desarrollo. Éste se hizo público en 2007 y cubre el periodo 2007-2012. Así fue como el gasto público en materia de lucha contra la malnutrición, el analfabetismo, el agua contaminada y las epidemias se elevó al 10,5 por 100 del PIB en 2006, y al 14,8 por 100 en 2007.

Todas estas cifras han sido publicadas por el Fondo Monetario Internacional, nada sospechoso de simpatías hacia un régimen que da prioridad absoluta a la lucha contra la pobreza.[6]

El enemigo n° 1 del pueblo boliviano sigue siendo la desnutrición, el hambre y su cortejo de niños inválidos de por vida, de trabajadores incapacitados para los trabajos mineros o rurales, y de mujeres anémicas.

El «Programa malnutrición cero», cuya primera fase se puso en funcionamiento en 2007, aspira a garantizar una alimentación adecuada, atenciones médicas, una vivienda y agua potable para todos los niños hasta la edad de dos años.

Una mañana clara del invierno andino, estaba sentado en la sala de conferencias del Ministerio de Salud, en el centro de la ciudad alta de La Paz. La sala era oscura. Sus paredes están recubiertas por un revestimiento de maderas oscuras de Beni.

La ministra, Nilda Heredia, cirujana, es una mujer pequeña de tez cobriza, cabellos grises y ojos brillantes. Perdió a su hijo durante la represión de Sánchez de Lozada. El estado mayor del ministerio está casi enteramente compuesto por mujeres con edades comprendidas entre los cincuenta y los sesenta años que llevan a sus espaldas una amplia experiencia en los hospitales públicos.

Como muchos países del Sur, Bolivia está enferma por una nomenclatura médica cínica y exclusivamente interesada en el dinero. En sus clínicas privadas, acumula ganancias que harían palidecer de envidia a los facultativos de Ginebra o París. Por ese motivo, de los diez millones de habitantes con que cuenta Bolivia, únicamente una minoría accede a las atenciones médicas que necesitaría. En el Altiplano y en los vastos territorios de la Amazonia y del Oriente, o sea, dos tercios del millón de kilómetros cuadrados que representa el territorio nacional, se encuentran muy pocos hospitales y ambulatorios.

Para paliar esta deficiencia, la ministra Nilda Heredia requirió la ayuda de Cuba. Y, en 2008, ochocientos médicos cubanos sanan, operan y vacunan a los niños en los rincones más recónditos de este inmenso país... Además, Cuba ofreció a Bolivia veintidós hospitales y más de un centenar de centros nutricionales infantiles.

Fuera, un clamor se hace oír. En la plaza, ante el ministerio, cientos de médicos privados se manifiestan. ¿Contra qué? Contra el Programa malnutrición cero. ¿Qué es lo que puede molestar a la nomenclatura de las clínicas privadas y de lujo de las atenciones gratuitas dispensadas a los bebés pobres?

Nilda Heredia me dice: «Nuestros colegas no temen la pérdida de su clientela. ¡Nunca ningún niño pobre ha sido admitido en sus clínicas! Pero tienen miedo del ejemplo, del precedente: si nuestro programa tiene éxito, otras capas de la población exigirán la abolición del *apartheid* médico».

Fuera, el estrépito aumenta. Pronto oigo el ruido sordo de las bombas lacrimógenas lanzadas por la policía. Pero los manifestantes resisten bien. Prorrumpen los gritos, vuelan a través de la plaza piedras y tablas extraídas de una obra vecina, y se estrellan contra la fachada del ministerio.

Estamos instalados en el tercer piso.

Nilda se levanta, cierra las ventanas y corre las pesadas cortinas azules.

Otra reforma, sin duda menos espectacular, aunque de una importancia capital para la vida cotidiana de los pobres, especialmente de los indios, concierne a la atribución de documentos de identidad. Sin carnet de identidad (certificado de nacimiento o de boda, sin carnet de trabajo, etc.), la vida del pobre es infernal. Ahora bien, desde tiempos inmemoriales, la entrega de documentos de identidad fue objeto aquí de una verdadera extorsión burocrática.

Comunidades enteras debían pagar a escote para conseguir que uno de los suyos pudiera adquirir el carnet de identidad tan codiciado y del que tenía absoluta necesidad para poder vender la quinoa y las legumbres en el mercado.

Es necesario tener también en cuenta que es en la ventanilla de la alcaldía donde el indio recibía en plena cara el insulto racista del pequeño funcionario mestizo o blanco.

A partir de ahora, el derecho al documento de identidad está garantizado. Es gratuito y universal.

En 2006, el 35,3 por 100 de la población boliviana era «extremadamente pobre». Con las reformas en curso, esta cifra descenderá al 27,2 por 100 en 2010. En cuanto a la categoría de los «pobres», incluía, en 2006, al 58,9 por 100 de la población global; esta cifra ha descendido al 49,7 por 100 en 2010, como prevé el Banco Mundial.[7]

Pero la revolución boliviana no podría resumirse en un catálogo de reformas prometedoras. ¡Ni mucho menos!

Los rechazos, los fracasos y los errores son numerosos. Quiero dar aquí algunos ejemplos.

La nueva ley sobre la tierra.

Para los ganaderos, la extensión máxima de la tierra que se les permite poseer es en adelante de cinco mil hectáreas; para los plantadores de soja, algodón, maíz y cereales, es de dos mil hectáreas.

Por lo demás, el trabajo esclavista ha sido abolido.

Para hacer respetar la ley, los agentes del INRA (Instituto Nacional de Reforma Agraria) pueden llamar, en todo momento, a la guarnición del ejército más próxima. Las hectáreas en excedente son embargadas y entregadas a los trabajadores jornaleros sin tierra o a los pequeños campesinos que sólo posean parcelas de una o dos hectáreas.

El INRA se encarga, además, de juzgar la validez de los títulos de propiedad.

Pero los latifundistas del Oriente han encontrado la respuesta. ¿Superan sus tierras la superficie máxima legal? ¿Exigen los agentes del INCRA la distribución a los jornaleros de las hectáreas excedentarias? ¡No hay problema! Bastará con que, ayudado por un notario poco honrado, el latifundista divida él mismo su propiedad. Las hectáreas excedentarias serán, por ejemplo, declaradas propiedad de la esposa, del primo o de un testaferro cualquiera...

Pero el gran propietario está dispuesto a ir más lejos si es preciso. Se puede comprobar sobre todo en las tierras bajas del Oriente, en los departamentos de Santa Cruz, Tarija y Beni: sencillamente, los pistoleros de los latifundistas asesinan a los agentes del INCRA. Y algunos comandantes del ejército hacen causa común con los latifundistas...

En resumen, la reforma agraria no avanza.

Otro fracaso. Evo Morales aumentó el salario mínimo el 18,2 por 100 en 2006, lo que, con una inflación anual limitada al 3 por 100, representa un importante aumento del poder adquisitivo. Pero el 66 por 100 de los trabajadores bolivianos pertenece al «sector informal» en el que no existe ni contrato de trabajo, ni estatuto, ni legislación social.[8] Millones de niños, hombres y mujeres ejercen una infinidad de estos oficios «informales» y pasan continuamente de uno a otro.[9]

En La Paz, Oruro, Sucre y Santa Cruz, tanto de día como de noche, estos *biscateros* —niños de menos de diez años, mujeres flacas y desdentadas, hombres de miradas vacías, desesperados, sumisos— están pegados a la pared, esperando que alguien tenga a bien requerir sus servicios.[10]

Naturalmente, el *biscatero* está excluido del salario mínimo, ya que no cobra ningún salario regular.

Aún otro fracaso. El MAS padece una carencia dramática de ejecutivos competentes.

Desde su llegada al Palacio Quemado, Evo Morales adoptó una decisión de consecuencias imprevistas. Prohibió a cualquier ministro, director de sociedad estatal o alto funcionario mantener el menor contacto, profesional o personal, con cualquiera de los mandatarios de los antiguos gobiernos.

Los responsables del Estado colonial difunto fueron en cierto modo anatematizados.

Esta ruptura neta con el pasado pretendía obstaculizar la contaminación, los compromisos y las desviaciones. Pero privó también al Estado de ejecutivos que, en algunos casos, no habían desmerecido.

Por esta razón, en el MAS, los ejecutivos capacitados para organizar, dirigir y llevar a buen puerto el complejo proceso de la liberación antioccidental son escasos. Después de dos años de ejercicio del poder, Evo Morales ya va, por ejemplo, por su cuarto ministro de Agricultura, su tercer director del YPFB, su tercer ministro de Hidrocarburos y su cuarto ministro de Justicia...

6

EL ESTADO NACIONAL

La destrucción del Estado colonial y la construcción de un Estado nacional son el tercer objetivo que se fijaron Evo Morales y el MAS.

Morales llama «Estado colonial» al sistema político institucional que gobernó Bolivia de 1825 a 2006. Una vez convertido en dueño de sus riquezas y soberano en su tierra, el pueblo boliviano debe construir una nación multiétnica, democrática y solidaria. Morales se extendió ampliamente sobre el tema durante la sesión de inauguración de la Asamblea Constituyente en Sucre, en agosto de 2006.

Para él, Estado nacional es sinónimo de Estado de derecho. Es el encargado de organizar la justicia social, la equidad y la protección de los derechos humanos. Garantiza a cada cual la libertad y la seguridad.

Jean-Jacques Rousseau dijo esta evidencia: «En las relaciones de hombre a hombre, lo peor que puede sucederle a uno es encontrarse a merced de otro».[1]

El contrato social es el fundamento de la nación. Sólo él libera al hombre de la esclavitud, la dependencia y la arbitrariedad. El contrato social vincula a todos los ciudadanos, sea cual sea su origen étnico, sus creencias y su color de piel.

La conciencia nacional es, pues, por definición, multiétnica y multicultural.

La monoidentidad es el exacto contrario de la conciencia nacional. Como ser social vivo, la nación se alimenta de la capitalización de las múltiples pertenencias y las herencias culturales diferentes. El etnonacionalismo, la pasión comunitaria, el fanatismo tribal son los enemigos mortales tanto de la nación como de la democracia.

Desde este punto de vista, el Estado nacional boliviano debe hacer frente a una grave amenaza.

En el mismo corazón de la resurrección india y de la construcción del Estado nacional, el movimiento Pachakuti, dirigido por un líder carismático, Felipe Quispe, un aymara, alienta la afirmación de un indigenismo fanático. Fue él quien organizó la resistencia armada contra Sánchez de Lozada.

El hombre es de un coraje... y una brutalidad excepcionales, una especie de Girolamo Savonarola[2] de los Andes, extraordinariamente dotado para el arte oratorio y la organización, movido por el odio a los blancos y a los mestizos. Su intransigencia, su austeridad y su verbo inflamado le aseguran la adhesión de cientos de miles de partidarios.

Pequeño, fornido y de una mirada penetrante, goza, especialmente ante la juventud de los altiplanos, de una veneración ardiente. Su mensaje es simple: los *Q'ara*, los blancos, son invasores. Sus crímenes monstruosos —pasados y presentes— hacen intolerable su presencia en la tierra de los ancestros. La Pachamama, la Madre Tierra, manda deshacerse de ellos. Hay que expulsarlos de Bolivia. A todos. Con las armas en la mano si hace falta. La resurrección de la Bolivia india exige pagar ese precio.

Quispe acusa a menudo a Morales de compromisos con Occidente. Los blancos ocupan puestos en el gobierno (comenzando por el vicepresidente García Linera, del que echa pestes). Generales blancos mandan en el ejército. La Iglesia española sigue celebrando sus misas. Todo esto es, para él, intolerable.

Más pérfido todavía: Morales no es un verdadero hijo de la Pachamama, sugiere, ya que él y su familia desertaron de su comunidad de origen de Orinoca, en la meseta de Oruro, para ir a cultivar la coca en la selva del Chapare, en las tierras bajas, lejos de los Apus y los Ayilus.[3]

Quispe pretende hablar tanto con los Apus como con los Ayilus. Dice que ellos le confieren su legitimidad.

Evo Morales es un orador mediocre, deslucido, mientras que Quispe levanta a las multitudes.

Más allá del lago Titicaca, en el vecino Perú, Felipe Quispe dispone de un aliado poderoso en la persona de Ollanda Humala. Ahora bien, cuando fue candidato a las elecciones presidenciales peruanas de 2007, Humala, carismático líder quechua, se dejó arrebatar la victoria por el candidato de Estados Unidos, Alan García. Tras el desastre que constituía para Occidente la elección democrática de Evo Morales (en diciembre de 2005), Washington habría desembolsado decenas de millones de dólares en Alan García para evitar la contaminación...

Humala es el profeta de la «raza cobriza», de la raza con tez de cobre, única propietaria legítima, a su modo de ver, de las cordilleras, las estepas, los valles, las fuentes y los minerales de los Andes. Como Quispe, hace un llamamiento a la insurrección armada contra los blancos (y los *cholos*). Deben abandonar los Andes, dice. Son usurpadores y mancillan la tierra sagrada de la Pachamama.

La columna vertebral del Estado nacional está formada por las doce mil comunidades «originarias» —aymara, quechua, moxo, guaraní, etc.— que estructuran la población india.[4]

La vida de estos indios es extremadamente dura. Ahora bien, su paciencia se ha agotado. Por eso, las reivindicaciones dirigidas a Morales y a su gobierno están marcadas por la urgencia y por la intransigencia. Porque si el Estado no consigue transformar profundamente las condiciones de existencia de los indios, si no acaba con la miseria y no restaura la dignidad, será rechazado. El fanatismo comunitario se ofrecerá entonces como el refugio para todos los desengañados del Estado nacional.

Evo Morales se ve así comprometido en una carrera desenfrenada contra reloj. O bien el Estado nacional se construye con rapidez, da sus frutos y consolida su legitimidad, o bien Felipe Quispe y los teóricos racistas desviarán la cólera de los indios de los Andes hacia el combate etnonacionalista, la patología identitaria y el fanatismo tribal.

Para que se entienda mejor la amplitud de la tarea que debe afrontar Morales, querría demorarme aquí sobre las condiciones de vida y el estado de la conciencia colectiva de una comunidad típica, la de los aymaras de Socomany, en el departamento de Oruro, que visité en 2007.

En aymara, Socomany quiere decir 'el buen surco'. Socomany cuenta con ciento veintiuna familias, o sea, en total, novecientas cincuenta y cuatro personas.

El directorio nos recibe.

La *corregidora* ('vicepresidenta') es una mujer fuerte de cara alargada y sonriente, de gestos enérgicos, y con faldas múltiples, amplias y coloreadas. Sus cabellos de azabache se entrelazan en dos bellas trenzas que descienden hasta sus amplias caderas. Se llama Felicidad Berdoja de Alborta. Tiene cuarenta años.

El secretario general es un joven, Luíz Choque. El responsable del agua potable se llama Bruno Ayza, y el del ganado, Felipe López.

No acude a la llamada, ese día, el personaje principal de Socomany, el alcalde mayor, el jefe aymara, el poncho rojo.

Socomany produce cebollas, lechugas, flores, quinoa,[5] patatas, nabos, habas, trigo, remolacha, acelgas, coles, rábanos, perejil y tomates. Pavos, cerdos, llamas, ovejas, conejos, patos y pollos deambulan entre las cabañas y hasta por la amplia plaza de tierra batida, ante el edificio del directorio.

Pero el orgullo de la comunidad son sus quince vacas. Ahora bien, ni la leche ni la carne de las vacas (las ovejas y las llamas) engordan a los habitantes, visiblemente marcados por la desnutrición.

Porque la carne y la leche se venden en Oruro. Constituyen la principal fuente de ingresos de los campesinos.[6]

La comunidad no posee, por lo demás, ni tractor ni ninguna otra máquina agrícola. Aquí, como en muchas otras comunidades, el arado es una herramienta desconocida. Los aymaras y los quechuas trabajan como se hacía hace mil años: con ayuda de la azada y la pala, con la fuerza de los brazos, desde la salida del sol hasta que se pone, en familia, en la precariedad, expuestos a los huracanes en verano y a los fríos terribles en invierno.[7]

El riego, que permitiría aumentar la productividad del suelo, está ausente en las mesetas. Hace millones de años, el Altiplano era un océano. Actualmente, su suelo es árido y salado.

La *corregidora* sueña en voz alta: «¡Ah! ¡Si tuviéramos una vaca de raza holandesa! Las venden por El Alto. Una holandesa da treinta litros de leche al día. Entonces podríamos comprar un tractor y un arado...».

Cada familia tiene su pozo, pero no tiene bombas. El agua debe extraerse a mano, por medio de cubos atados a cuerdas que descienden hasta treinta metros de profundidad. Además, el agua del Altiplano es salada. Y en verano, sólo se dispone de una cantidad insuficiente. Las familias deben entonces procurársela a través de una empresa privada de Oruro. Su camión llega dos veces a la semana. Pero doscientos litros de agua cuestan dos bolivianos.[8]

Cerca del edificio de cemento donde se nos recibe, y que sirve de sala de reuniones al directorio, se levanta una escuela, una casa clara de un piso, cuyos muros son blancos. En ella están escolarizados doscientos cincuenta y tres niños, a cargo de una maestra y dos maestros (mal) pagados por el prefecto del departamento.

La tierra es comunitaria para el forraje. Aparte de eso, cada familia posee su parcela: ésta varía entre media y quince hectáreas. Todas las tierras de la comunidad abarcan 1.774 hectáreas. No tienen ningún abono digno de ese nombre que pueda enriquecerlas.

Muchos niños padecen diarrea. En invierno, lo que amenaza a los pequeños son los resfriados y las neumonías. No hay ambulatorio, por lo demás tampoco iglesia.

«Cuando no hay producción, pasamos hambre», apunta Felicidad, sobriamente.

La recepción, en la sala del consejo, es solemne. Los miembros del directorio toman la palabra por turnos. Felicidad hace callar a los charlatanes.

Detrás de la mesa directorial, una pesada mesa de madera, percibo, colgadas en la pared en sus marcos polvorientos, las tres habituales imágenes anticuadas: el escudo de Bolivia,[9] el retrato orlado por una cinta verde, amarilla y roja de Simón Bolívar con una espada, y el de Antonio José de Sucre. Los dos *libertadores* llevan uniformes engalanados semejantes a los de los mariscales de Napoleón.

Me extraña este dispositivo. ¿Dónde se encuentra, pues, Evo Morales, aymara como ellos y primer presidente indio en quinientos años?

Bruscamente, se hace el silencio en la sala. Temo haber metido la pata.

Felicidad me mira entonces largamente. Luego pone su mano derecha en su corazón. Los responsables del agua y del ganado, el secretario general y el vicepresidente, hacen lo mismo. La significación de su gesto es clara: los generales criollos enmohecen en la pared; Evo vive en nuestro corazón.

La más rigurosa democracia rige las comunidades.

Además del consejo directorial que se ocupa de los asuntos corrientes, hay dos comités: la junta escolar, que se encarga de la buena marcha de la escuela, y la junta vecinal, que atiende a las relaciones exteriores (hacer gestiones ante las autoridades civiles para obtener tal o cual permiso para construir, tal o cual autorización para la excavación de un pozo, un gallinero suplementario, etc.).

Sorbemos mate de coca. Brebaje amargo, estimulante, azucarado... que me retuerce el estómago.

Al atardecer, pido visitar a algunas familias. También quiero dar un paseo hasta la linde norte de la comunidad, a tres kilómetros de distancia, por donde pasan sin pararse nunca los autocares que unen La Paz con Oruro.

Aprovecho la dispersión del cortejo para acercarme a Felicidad. La *corregidora* acelera el paso. Le doy alcance.

Ha comprendido que deseo hablarle sólo a ella.

¿Acaso la democracia integral de base, apaciguada y tolerante, alimentada por una sabiduría milenaria, rige las comunidades quechua, guaraní, moxo y aymara? Es una mentira piadosa de antropólogo, adoptada diariamente por el gobierno y los militantes del MAS. En realidad, la mayoría de las comunidades están sacudidas por conflictos vehementes.

Tanto en el exterior como en el interior, deben afrontar problemas difíciles. Todos los días.

Felicidad habla en voz baja: «Nosotros trabajamos como animales. Es cierto... muchos de nuestros jóvenes no soportan ya esta vida. Pero ¿qué hacer? Si se marchan a la ciudad, serán parados. Ellos lo saben. Nos piden que alquilemos un tractor provisto de un arado en Oruro. Pero el alquiler cuesta ochenta bolivianos a la hora. Además, hay que pagar la gasolina. No tenemos medios [...]. Algunos se fueron a Argentina para la cosecha de mate. Y regresaron pronto. El salario apenas cubre el precio del desplazamiento».

Reflexiona.

«¿Aumentar la producción de legumbres, de quinoa, de cebollas? Es difícil. Sólo tenemos abonos naturales. Hay que dejar las tierras en barbecho...»

Una perspectiva le aterra: la venta en el mercado de Oruro de las legumbres, la quinoa, el trigo, las habas. «Nuestros jóvenes leen y se informan. Sobre todo los que fueron a Argentina. Dicen que el precio de la quinoa es alto en la ciudad y que el alimento importado es barato. Conocen el precio de la pasta y los tallarines que se venden en Oruro. Pero yo no los quiero [...]. Me fijé en su mirada cuando pasamos delante de la escuela. Sí, claro, muchos de nuestros niños no tienen buena salud. No comen todos los días lo que les apetece. Pero, al menos, lo que comen es nutritivo. Son nuestras legumbres, nuestras patatas, nuestros nabos, nuestras cebollas. ¿Venderlo todo? ¿Comprar tallarines brasileños o argentinos? ¡Jamás! Nuestros niños estarían todavía peor».

Un brusco sentimiento de orgullo ilumina su rostro. Dice: «¡Hasta ahora, ninguno de nuestros jóvenes se ha visto forzado a ir a San José!».

Dominando Oruro, la montaña de San José encierra venas de plata, zinc, plomo y oro. ¿Una suerte para la comunidad? No, porque esa montaña vomita a los mineros antes de que hayan alcanzado la edad de treinta y dos años. Enfermos de silicosis, abandonados sin indemnización, física y psíquicamente destruidos. Las víctimas de San José se van, a miles, a poblar las chabolas de Oruro.

Las relaciones con las autoridades departamentales son execrables. Felicidad está exasperada: «Ni canalizaciones, ni transportes públicos, ni el más mínimo crédito, ¡nada!... Querría al menos que se creara una parada en la carretera asfaltada para que pudiéramos subir al autobús que va a La Paz o a Oruro... Pero el prefecto se niega a recibir al alcalde mayor o a cualquier otro miembro del directorio... A veces me cruzo con él en una calle de Oruro. Me dice: «Ven, compañera». Pero cuando pido una cita a su secretario, se niega».

Enigmática, añade: «El prefecto nos tiene miedo».

Manifiestamente, los beneficios del Estado nacional no se han hecho sentir todavía en Socomany. Entre las nuevas autoridades y la comunidad ancestral, las relaciones son tensas.

A la mañana siguiente, estoy sentado en una de las butacas de cuero verde del despacho del prefecto, Luis Alberto Aguilar. La prefectura está instalada en un magnífico caserón blanco, el antiguo palacio de un magnate minero.

El prefecto es un hombre poderoso.[10] Pertenece al MAS.

Me recibe en chándal azul oscuro: acaba de regresar de la inauguración de una carrera ciclista.

Aguilar es un hombre en la cuarentena, de risa franca e inteligencia pronta. Aprovecho la ocasión para comunicarle las quejas de la *corregidora* de Socomany. Reacciona a mis palabras con una mala fe desconcertante: «Pero ¡cómo es posible! Yo recibo a todos mis administrados en todo momento. Aquí, en este despacho, todo el mundo está en su casa. Le echaré una bronca a mi secretario».

Una humillación demasiado larga, un sufrimiento demasiado cruel pueden arrojar a los pueblos en brazos de los peores demagogos. Evo Morales es perfectamente consciente de este peligro.

Precisamente para desterrarlo anunció, en el momento mismo de su investidura en Tiwanaku, la convocatoria de una Asamblea Constituyente. Porque está convencido de que la institución de un Estado nacional, de un Estado de derecho, es la única arma eficaz si se quiere combatir la fiebre identitaria y el fanatismo comunitario.

Desde agosto de 2006, y durante quince meses seguidos, la Constituyente se reunió en la antigua capital de Bolivia, en Sucre. Su tarea: poner fin al Estado colonial, fundar el Estado nacional, dar permanencia a las rupturas y las reformas radicales llevadas a cabo por los decretos presidenciales, y asegurar mediante instituciones sólidas la perennidad del renacimiento indio.

La presidenta de la asamblea, una sindicalista campesina de Cochabamba, de rostro grave y altos pómulos, de nombre Silvia Lazarte, se negó a recibirme. Pero su vicepresidenta, originaria de Tarija, es una mujer joven de veintiocho años, alegre y locuaz y accedió a hablar conmigo. Lleva el pequeño sombrero redondo y gris sobre sus largas trenzas negras, y las amplias faldas blancas procedentes de su región de origen. Y, como todas las mujeres de Tarija, hace gala, detrás de su oreja izquierda, de un clavel rojo.

La Constituyente era un campo de batalla decisivo, cuenta. La oligarquía de Santa Cruz estaba en ella fuertemente representada. Sus diputados eran abogados de negocios, generalmente hábiles y astutos, banqueros con extensas relaciones internacionales e ingenieros que trabajaban para las compañías extranjeras. Frente a los diputados del MAS, mayoritarios, se mostraron coriáceos, tratando permanentemente de dividir a los diputados indios.

Durante mucho tiempo, fui diputado socialista por Ginebra en el Parlamento de la Confederación Helvética. Conozco por experiencia los ardides, las emboscadas y los golpes bajos que una derecha competente y decidida, que teme por sus privilegios, puede llevar a la práctica con el fin de sabotear cualquier acción innovadora. Al escuchar a la joven y simpática vicepresidenta de la Constituyente, un temblor me recorría la espalda: a ella y a su taciturna presidenta, los diputados de Santa Cruz podían despacharlas de un solo bocado.

Me equivoqué.

El domingo 25 de noviembre de 2007, la Constitución fue adoptada por ciento treinta y seis diputados de doscientos cincuenta y cinco. Es una de las Constituciones más voluminosas y más detalladas del mundo: ¡431 artículos! El catálogo de los derechos humanos —civiles y políticos, económicos, sociales y culturales— contiene por sí solo treinta y dos artículos.

Pero, hasta el día de hoy, los adversarios de Evo Morales se niegan a reconocer la legalidad de este voto democrático.

El artículo 4 de la Constitución instituye la equivalencia entre la religión católica y las cosmogonías indias. La alta jerarquía de la Iglesia y el nuncio apostólico se rasgan las vestiduras.

La extrema derecha secesionista rechaza las nacionalizaciones, la nueva fiscalidad, la *Renta dignidad* (que el Estado atribuye en adelante a toda persona necesitada con más de sesenta años).[11] Le parece inaceptable que la ley fundamental contenga, en su artículo 8, palabras en lengua aymara. Este artículo dice: «*El Estado asume como principio ético-moral: Ama ghella, ama llulla, ama suwa*» ('No seas perezoso, no seas mentiroso, no seas ladrón').

La salida a este conflicto determinará el futuro del régimen. Su alcance histórico es, pues, extraordinario.

7

LA FIESTA

El Primero de Mayo de 2007 en La Paz dejó, para mí, un recuerdo imborrable. Una inmensa y abigarrada multitud se apretujaba bajo el balcón del Palacio Quemado, en las escaleras de la catedral y en las calles de los alrededores. El centro estaba negro de gente.

Cohetes artesanales explotaron en el cielo límpido. Su humo formó pequeñas nubes grises que viajaban por encima de los tejados.

De la inmensa ciudad satélite de El Alto que, desde lo alto de su meseta, domina los barrios viejos de La Paz situados al fondo del cañón, afluyeron decenas de miles de familias y de comunidades, con banderas y orquestas al frente. Los mineros de Oruro y de Potosí llevaban el casco y la lámpara de acetileno. La orquesta de la gendarmería tocó la *Marcha del presidente*, herencia de un pasado lejano. La muchedumbre parecía indiferente.

Pero cuando una fanfarria de los mineros de Potosí, ahogada en un bosque de banderas amarillo, verde y rojo —los colores de Bolivia—, tomó la curva de la avenida Ingavi para colocarse directamente bajo el balcón del Palacio Quemado, los aplausos rodaron por la plaza como un trueno.

La catedral se encuentra contigua al palacio. En este día de fiesta, permanece cerrada con candado. El cardenal es un enemigo del Cambio. Sus periodistas, sus sacerdotes y sus diputados ocupan su tiempo en difamar cada una de las iniciativas del gobierno.

El sol está ya alto.

Entre los árboles, los sindicalistas despliegan pancartas.

«Bolivia cambia, Evo cumple»; «Fuerza y gloria, paz, unión»; «Nacionalización es vivir bien»; «Bienvenidos, señores extranjeros que visitan a nuestro país, Que sean nuestros hermanos».

«Primer aniversario de la nacionalización de los hidrocarburos»; «Festejamos el aniversario de la firma de los cuarenta y cuatro contratos de nacionalización»; «La nacionalización — la hacemos todos».

También son muy numerosas las pancartas de connotación religiosa. «Bolivia querida, amada de Dios»; «En nombre del Padre, del Hijo y del Espíritu Santo, que Dios guarde a Bolivia».

En la inmensa plaza, ninguna bandera roja. Ni ninguna foto de cualquier líder histórico del movimiento obrero internacional. Sólo un gran retrato en blanco y negro pegado a la fachada del palacio del Parlamento: el hermoso rostro del Che. Debajo, estas simples palabras: «Con lealdad siempre te saludamos».

Flanqueado por un ayudante con el uniforme del ejército de tierra, el ministro de Trabajo en camisa desabotonada, algunos sindicalistas campesinos y mineros con su casco, Evo salió de pronto al balcón.

Vestido con sus eternos tejanos azul descolorido, con sus partagás y una camisa azul claro, Evo lleva el fajín presidencial con dignidad. Sus espesos cabellos negros caen como un casco sobre su rostro de nariz prominente. Desde lo alto de su metro ochenta y cinco, sobresale su cabeza por encima de la pequeña muchedumbre apelotonada en el balcón.

El *speaker* anuncia: «El Primer Mandatario».

«La Pachamama nos dio los minerales —dice el presidente—. Otros nos los robaron. Nosotros vamos a recuperarlos todos. Nuestros hijos tienen hambre. Es necesario que puedan comer. Todos los días. Lo suficiente».

En la plaza, se hace un silencio solemne. Ya no se lanzan

cohetes al cielo. Los pichones retozan en el monumento Murillo. Las pancartas enganchadas a los árboles se balancean con la brisa.

El paro es una plaga secular en las grandes ciudades del país. Quienes primero lo sufren son, desde luego, los indios.

«Lograr trabajo. Y mejor trabajo», promete el presidente. Como siempre, es preciso: «Tenemos dinero para crear doscientos mil puestos de trabajo. Setenta mil serán creados de ahora al próximo Primero de Mayo».

La multitud, silenciosa, escucha.

«Pueblo de Bolivia y pueblo de América Latina. Pueblo de Perú, de Bolivia, de Ecuador...».

La voz de Evo apenas enfatiza. «Hermanos, hermanas... [...] La Madre Tierra hizo surgir de nuestro suelo los minerales, el gas y el petróleo [...] a fin de que nosotros nos sirvamos de él para el bien de nuestras familias. Hemos consultado a nuestros amigos de Noruega, Argelia y Venezuela [...] ellos nos han ayudado a redactar bien los contratos de nacionalización, ellos nos han ayudado a negociar con los extranjeros. Demos gracias a nuestros amigos de Noruega, Argelia y Venezuela [...] Pensemos en los mártires de Chicago y en los mártires bolivianos que lucharon contra los invasores, los barones del estaño, por la jornada de dieciséis horas —acordaos— "*Gloria a los mártires de aquí y de allá... Viva Bolivia libre, sin esclavos*"».

De pronto, el presidente se calla. La multitud permanece petrificada en su recogimiento. No hay una explosión de aplausos.

Sólo algunos gritos: «¡Evo! ¡Evo!».

Luego la muchedumbre se dispersa.

Una mujer joven que lleva tres capas de faldas coloreadas, un poncho gastado, un sombrero redondo —cuyo porte impuso Carlos V a todas las indias de los Andes en el siglo XVI—, camina a mi lado en la calle Comercio.

Tiene unos hermosos ojos negros, un rostro fino y la tez

cobriza. Me mira furtivamente, con timidez. Se ve claramente que tiene ganas de saber lo que este gringo piensa de su presidente y del discurso que acaba de pronunciar.

Con la solemnidad un poco ridícula del importante socialdemócrata europeo, digo: «Es el Primero de Mayo más hermoso que haya vivido en mi vida».

Me escucha. Baja los ojos. Luego dice: «Un hombre pobre como nosotros... un campesino, elegido presidente constitucional, que nacionalizó los hidrocarburos... que se enfrentó al imperialismo».

Hizo una señal furtiva con la mano.

Luego desapareció entre la multitud.

8

LOS USTACHIS ESTÁN DE VUELTA

En las mesetas del Altiplano y en las tierras bajas de Santa Cruz, Occidente acaba de padecer una terrible derrota.

Los gigantes petroleros y gasíferos han doblado una rodilla en tierra. Los barones de las minas que, desde hace siglos, reinaban sobre sus Cerros (las montañas que guardan en sus entrañas el oro, la plata y los demás minerales) han visto cómo se hacía trizas su poder. Las sociedades propietarias de las reservas de litio (un mineral indispensable para la producción nuclear) también han sido nacionalizadas. Los agrimensores de la reforma agraria trazan, día tras día, los nuevos límites legales de las haciendas.

Por primera vez en quinientos años, un indio, un hombre de esta «raza cobriza», de este pueblo con la piel color de cobre, es el presidente democráticamente elegido de un país de las Américas.

Este país posee la tercera reserva más extensa del mundo en gas líquido, una gran parte de las reservas petrolíferas y una cantidad nada despreciable de minerales estratégicos entre los más escasos y los más preciados del planeta.

Occidente replica, por supuesto. Fundamentalmente, de momento, por mediación de sus mercenarios locales. ¿Quiénes son?

En sus tierras bajas, Bolivia había acogido después de 1945 a un gran número de antiguos nazis, de origen alemán y austríaco, ustachis croatas, Cruz de Hierro rumanos, y gran cantidad de criminales fascistas procedentes de Hungría, Letonia, Ucrania, etc. Muchos fueron buscados por la Interpol, a veces durante decenios. Generalmente en vano.

Llegados a este punto, es indispensable una evocación histórica.

El 10 agosto de 1944 se celebró en Estrasburgo, en el hotel de la Maison-Rouge, una reunión de responsables económicos y de generales de las SS. Había sido convocada por Heinrich Himmler.[1]

El primer objetivo de la reunión era la transferencia masiva de capitales alemanes hacia América del Sur, a fin de que, «tras la derrota, pudiera renacer un IV Reich alemán».[2]

El segundo objetivo era la organización y la financiación de la huida de los responsables de las SS, de la Gestapo y de sus auxiliares. En vista del inevitable repliegue, las SS y sus cómplices de las altas finanzas y la industria habían puesto sus miradas en una región determinada: el departamento de Misiones al norte de Argentina, las orillas del río Paraguay y las tierras bajas de Bolivia. La capital de este triángulo es Santa Cruz.

El historiador Jorge Camarasa relata cómo, desde finales del año 1944, submarinos alemanes llegaban de noche a la desembocadura del Río de la Plata. Estos navíos venían llenos de cajas que contenían oro, plata y diamantes, escoltados por agentes alemanes armados.

Su cargamento se descargaba en el Río de la Plata, antes de fletarlo en barcas que remontaban el río Paraguay hasta Puerto Suárez, el puerto fluvial de Santa Cruz.

El 12 de diciembre de 1996, el gobierno norteamericano publicó un documento que había permanecido secreto durante cincuenta y un años y que, por primera vez, proporcionaba una estimación del botín nazi transferido al triángulo. Tan sólo durante el mes de abril de 1945, las compañías de seguros, los bancos, las compañías fiduciarias, los administradores de bienes y las casas de comercio de Bolivia (de Paraguay y de Argentina) recibieron así alrededor de mil millones de dólares (valor de 1945).

En los departamentos bolivianos de Santa Cruz, de Beni y de Pando, agentes alemanes compraron con ese dinero, a partir de finales de 1944, gigantescos terrenos, empresas agroindustriales, ganaderías y compañías de transporte.

La realización del segundo objetivo de la conferencia de Estrasburgo exigía esfuerzos enormes. La organización estructurada, eficaz, destinada a asegurar la evacuación clandestina de los asesinos hacia América Latina se llevó a cabo bajo el nombre codificado de «Odessa» (*Organisation der ehemaligen SS-Angehörigen*: 'Organización de antiguos miembros de las SS'). Gracias a ella, Josef Mengele, médico en Auschwitz, consiguió ocultarse durante varios decenios entre el río Paraguay y el departamento de Santa Cruz. Eduard Roschmann, apodado el «carnicero de Riga», el jefe de la Gestapo Heinrich Müller y muchos otros asesinos nazis disfrutaron de un retiro apacible en el triángulo. Con la excepción de Adolf Eichmann, responsable de los asuntos judíos en la Oficina de Seguridad del Reich, secuestrado en Buenos Aires en 1960, y Klaus Barbie, ninguno de estos criminales fue detenido. En su huida, el propio Eichmann pasó por Santa Cruz.

¿Cuántos nazis utilizaron las redes de «Odessa»? Nadie lo sabe. Pero lo que sí se sabe, en cambio, es que fueron especialmente numerosos los ustachis que se beneficiaron de la Rat-Line[3] establecida por la organización «Odessa».[4]

Lo que fundaron en el Oriente boliviano no fue, desde luego, un IV Reich. Pero, hasta el día de hoy, siguen fieles al pasado. Bertolt Brecht escribió: «Todavía es fecundo el vientre de donde surgió la bestia inmunda».

¿Cómo explicar semejante impunidad para esos criminales nazis y fascistas? En el seno de los aparatos de Estado de Bolivia y de Paraguay (y en el de Argentina en la época de Perón), los antiguos SS, gestapistas y ustachis desempeñaron, llegado el caso, funciones dirigentes. De esa manera, algunos de los peores criminales hicieron carrera en los servicios secretos y la policía bolivianos.

Tomemos el ejemplo de Klaus Barbie, el jefe de la Gestapo de Lyon, responsable de la detención de Jean Moulin, el verdugo de cientos de resistentes y de los niños de Izieux. Barbie fue el jefe de la policía nacional boliviana bajo dos dictaduras militares sucesivas: la del general René Barrientos, y luego la del general Ovando Bravo Candia.

Destaquemos que desempeñó un papel clave en la captura y el asesinato del Che Guevara. Administrador de la Compañía Transmarítima Boliviana, acumuló, además, una fortuna enorme. Su organización secreta, formada en gran parte por antiguos nazis, los «Novios de la muerte», preparó en 1980 la llegada al poder del general Arce Gómez.[5]

Gracias a la obstinación de François Mitterrand y de Régis Debray, ayudados por Serge Klarsfeld, Barbie fue finalmente detenido el 5 de febrero de 1983 en Santa Cruz y extraditado a Francia. Pero los alumnos de Barbie ocuparon puestos clave en los servicios secretos y la policía de Bolivia hasta la llegada de Evo Morales.

Santa Cruz es una ciudad espléndida de un millón y medio de habitantes. Es con mucho la ciudad más opulenta y la más viva de Bolivia. Fundada en 1561 por el aventurero español Ñuflo de Chávez, la ciudad tomó vuelo a finales de la década de 1940 y a comienzos de la de 1950.

Casas con columnatas bordean los amplios bulevares donde crecen las palmeras reales. Los jardines tropicales estallan de colores. Las piscinas son inmensas. Su suelo es de mármol.

El aire es húmedo y suave durante todo el año. El calor, en verano, corta la respiración.

Alrededor de toda la ciudad se extienden las haciendas modernas y productivas. Cada una de las ganaderías cuenta con varios miles de cabezas de vacuno. Las plantaciones de algodón van siendo, poco a poco, sustituidas por las plantaciones, todavía más rentables, de soja.

Soja, arroz, habas de cacao, aceite de girasol, melaza de caña de azúcar y ganado vivo llegan a Puerto Suárez por carretera.

Barcas inmensas viajan por el río Paraguay hasta su desembocadura en el océano, en el Río de la Plata.

En el puerto de Montevideo, en Uruguay, los magnates de Santa Cruz poseen, por otra parte, una zona franca con almacenes, grúas, ascensores y muelles. Las mercancías se exportan hacia las grandes ciudades de la costa Este de Estados Unidos o, a través del Atlántico sur, hacia Europa.

En el Oriente boliviano, la tierra es abundante. El Banco Mundial estima las tierras cultivables en ocho millones de hectáreas. En 2007, tan sólo dos millones y medio se explotaban efectivamente.[6]

Ahora bien, no podemos ignorar de ninguna manera que los hijos e hijas, los nietos y nietas de los SS, los gestapistas, los ustachis y los Cruz de Hierro rumanos son los propietarios de esas lujosas haciendas, esas ganaderías, esas flotas de barcos en el río Paraguay y esas fábricas químicas. Por lo demás, se trata de mujeres y hombres generalmente dinámicos, competentes y con frecuencia licenciados en las más prestigiosas universidades norteamericanas, y disponen de redes de relaciones financieras y comerciales que se extienden por todo el planeta. Pero, a veces, en la mayoría de las ocasiones, están poseídos por una concepción discriminatoria de la vida, y sienten un verdadero odio racista hacia aquellos a quienes llaman despectivamente «macacos»: los indios, los judíos y los negros.

En el seno de esta nueva oligarquía de Santa Cruz de la Sierra, los ustachis forman un grupo aparte.

Contrariamente a los demás hijos de refugiados, se implicaron con frecuencia en operaciones políticas y militares contemporáneas en Europa. El Tribunal Internacional de La Haya busca, especialmente, a varios de ellos por los crímenes de guerra cometidos en los Balcanes entre 1992 y 2000.

¿Cuál es el origen de los ustachis?

En 1941, la Wehrmacht invadió Yugoslavia. Hitler desmembró el país. En Zagreb, instauró un régimen a su imagen y semejanza. El Führer croata ostentó el título de Poglawnik. Su verdadero nombre: Ante Pavelic.[7]

Y es que Hitler, en su locura, no consideraba a los croatas como eslavos... ya que eran católicos y no ortodoxos. Les concedió, pues, un Estado independiente, reconocido por el Reich y por Mussolini.

En tanto que corresponsal de guerra del *Corriere della Sera*, Curzio Malaparte llevaba el uniforme de capitán del ejército italiano. Un día rindió visita a Ante Pavelic en su guarida de Agram. Éste lo recibió calurosamente mostrándole una cesta llena de ojos humanos: «Éstos son ojos de judíos y serbios —veinte kilogramos en total—, con los que mis fieles ustachis acaban de obsequiarme».[8]

Recuerdo un día caluroso del verano de 1996 en Lindau, pequeña ciudad medieval del *land* de Baden-Wurtemberg, en las orillas del Bodan. Los socialistas europeos celebraban allí una reunión en un hotel que dominaba el lago.

Llegada la noche, Hans Koschnik,[9] el antiguo presidente del *land* de Bremen, entonces enviado especial de la Unión Europea en Mostar, nos hizo partícipes de sus preocupaciones.[10]

Mostar estaba dividido entre bosnios y croatas. El puente de un solo arco sobre el Neretva, construido por los otomanos en 1566, se desmoronó y cayó al fondo del río, destruido por los artilleros croatas. Entre las ruinas de las mezquitas y las viviendas de la orilla oriental, los combatientes bosnios, mal equipados, padeciendo hambre y sed, y cortada su retirada por los soldados serbios apostados en lo alto tras los barrios orientales, resistían como podían.

Koschnik nos dijo: «¡No hay ninguna esperanza para una solución negociada! No es en la residencia de Tudjman, en el palacio presidencial de Zagreb, sino en Santa Cruz, en Bolivia, donde se toman las decisiones. [...] Los ustachis bolivianos financian a las milicias croatas de Mostar. En el mercado mundial de armas, compran los cañones más modernos, las metralletas y los morteros más potentes. [...] Rematan a los heridos, disparan sobre los barrios donde se esconden las mujeres y los niños: son salvajes. [...] Su fanatismo es impermeable a cualquier razonamiento. Son racistas, están poseídos por una furia de otra época. No aceptan ningún interlocutor [...] Su héroe es Ante Pavelic. Su imagen está por todas partes...».

Koschnik parecía horrorizado: «Cientos de jóvenes ustachis bolivianos atraviesan el Atlántico durante sus vacaciones [...] Vienen a las orillas del Neretva para practicar la caza al musulmán [...]. Su nacionalismo es ciego [...]. Si los estadounidenses no obligan a entrar en razón a los ustachis de Santa Cruz, ninguna paz será posible en Mostar».

Para los ustachis, Evo Morales es el enemigo a abatir. Los priva de sus privilegios, amenaza sus fortunas y les impone el respeto por las libertades democráticas.

El acuerdo entre los ustachis, numerosos descendientes de inmigrantes de las SS y la oligarquía local —con frecuencia de origen paraguayo o brasileño— en este punto es total.

Y de hecho, en los tres principales departamentos del Oriente —los de Santa Cruz, Beni y Pando—, Evo Morales sólo obtuvo el 33 por 100 de los votos durante las elecciones presidenciales de 2005.

En las haciendas del Chaco, donde el trabajo esclavista es frecuente, los esclavos votaron lo mismo que sus amos. Igualmente en Amazonia, en las inmensas plantaciones de soja, de maíz y de algodón.[11]

Prácticamente todos los periódicos del país —y no sólo los del Oriente—, así como las principales cadenas de televisión y de radio, son propiedad de los bancos de Tarija o de Santa Cruz. Todos ellos orquestan, contra el gobierno, incesantes campañas de difamación, y a menudo de una violencia inusitada.

Por ejemplo, los ustachis y sus aliados toman como pretexto el resultado electoral de 2005 en Oriente para negar a Evo Morales cualquier legitimidad como presidente.

Ahora bien, hay que saber que la oposición oligárquica mantiene estrechas relaciones con las oligarquías de los gigantes occidentales del petróleo y del gas que no aceptaron su derrota. Por ejemplo, los fascistas de los departamentos de Pando, Tarija, Beni y Santa Cruz formaron un Frente Autonomista que reclama la secesión del Oriente. Algunos miembros del alto clero bendicen al Frente.[12]

En la misma Santa Cruz, los ustachis y otros neonazis dominan tres organizaciones clave: la cámara de comercio y de industria, el comité cívico y la Unión Santacruceña de Jóvenes.

David Ceja, presidente de la Unión de Jóvenes, dice: «Evo Morales está arrastrando a Bolivia a una guerra racial, pretende implantar un gobierno hitleriano. Nosotros no somos culpables de los quinientos años de sumisión indígena».[13] Que un ultranacionalista croata, heredero de Ante Pavelic, ataque a un presidente democráticamente elegido tratándolo como un nuevo Hitler constituye sin duda una variante inédita de la paranoia política...

Los secesionistas reivindican seis de los nueve departamentos de Bolivia: Santa Cruz, Tarija, Cochabamba, Chuquisaca, Beni y Pando. Éstos albergan las principales riquezas petroleras, gasíferas y agroindustriales del país. En conjunto, reúnen el 40 por 100 de la población, mayoritariamente blanca y mestiza.

Milicias de extrema derecha actúan en cada uno de los departamentos secesionistas. La más importante es la Falange Socialista Boliviana, que data de la década de 1930, y fue rearmada y reorganizada por un tal Guido Strauss.

Branko Marinkovic es el presidente del comité cívico. Rechaza la soberanía boliviana sobre el Oriente. Dice: «Las autonomías son una realidad. No vamos a esperar que se nos concedan».[14]

Todas estas milicias son abiertamente racistas. Consideran al indio como «el enemigo de la civilización». Una octavilla reciente de *Las Juventudes cruceñas* llamaba a «defender la frontera de Occidente» en Santa Cruz...

En cuanto a la cámara de agricultura del Oriente, los intereses extranjeros son poderosos en su seno, especialmente los de una sociedad multinacional británica, la Anglo-Bolivian Land and Cattle Company. La dirección política de la organización, por su parte, está en manos de descendientes de alemanes, en especial del diputado de extrema derecha Fernando Messmer.

En tal clima, ¿acaso es de extrañar que Percy Fernández, el alcalde de Santa Cruz, haga un llamamiento a la creación en Oriente de una «nueva nación», preferentemente blanca y firmemente aliada a Occidente?[15]

Samuel Doria Medina es diputado en la Constituyente, electo por La Paz. Figura en una lista nominal de «traidores que abatir», establecida por Branko Marinkovic. Una octavilla del comité cívico prometía «limpiar Santa Cruz de la basura del MAS».[16] Otra llamaba a matar a todos los «macacos cubanos y venezolanos».[17]

En noviembre de 2007, el periódico *El País* de Madrid titulaba: «Bolivia se asoma a la violencia y la división».[18] El titiritero de esta división y esta violencia se llama Philip S. Goldberg. Embajador de Estados Unidos en La Paz, dispone de una rica experiencia en la materia. Antes de ser acreditado en Bolivia, había sido embajador en varios Estados nacidos de la fragmentación de la ex-Yugoslavia.[19]

Entre el Estado nacional y la oligarquía secesionista, la batalla causa estragos. Su resultado es incierto.

Una única certeza: la determinación de Evo Morales, las comunidades indias y el MAS de romper la cadena de opresión y de explotación; así, cuarenta y seis generales, coroneles y almirantes del ejército, la aviación y la marina fluvial han sido recientemente pasados a la reserva anticipada. Por lo que respecta a los jóvenes oficiales, son mayoritariamente patriotas y están orgullosos de las nacionalizaciones. Se ha encauzado el indigenismo ultra, aislado a la alta jerarquía de la Iglesia católica y reducido a la impotencia provisionalmente a los ustachis.

Pero ¿por cuánto tiempo?

EPÍLOGO

«NUESTRA HORA HA LLEGADO».[1]

Marie-Ange Magloire es una abuela de cincuenta y nueve años, «refugiada de hambre» de Jérémie, al sur de Haití. Con los seis hijos de su hija fallecida, de edades comprendidas entre los tres y los nueve años, ocupa un campamento de barracas de chapa de quince metros cuadrados, sin agua ni electricidad, en la parte baja de Cité Soleil. Este barrio de chabolas se extiende hasta la orilla del reverberante mar Caribe, al pie de Puerto Príncipe, la capital, y alberga en cuatro kilómetros cuadrados a cerca de trescientas mil personas.

Bandas rivales, que luchan por el control del tráfico de cocaína, siembran allí el terror.

Una zanja a cielo abierto atraviesa el barrio donde vive Marie-Ange, cloaca que arrastra detritus y deyecciones humanas, infestada de ratas. En la penumbra de la chabola, en una estera rebosante de cucarachas, duerme el menor de los niños, Dieudonné, de tres años.

Desde que despunta el sol, Marie-Ange está acuclillada ante el campamento. Oculta su delgadez con un vestido rojo, muchas veces remendado, agujereado en un costado. Sobre sus cabellos negros, lleva un foulard rojo, y en los pies, sandalias de caucho.

Tiene el porte de una reina. Su mirada es grave, sus gestos enérgicos.

Un barreño de plástico donde se amontonan algunos billetes de gourdes (moneda haitiana oficial) está colocado delante de ella, en el suelo.

Marie-Ange vende pasteles de fango.

Mezclado con un poco de sal y con desperdicios vegetales que le proporcionan materia grasa, el fango forma una masa lisa. Al secarlo al sol, se vuelve duro.

Para venderlo, Marie-Ange lo recorta en redondeles. El fango es apreciado por su calcio. Endurece el estómago y calma el hambre.

Incluso en el corazón de las peores tragedias, los haitianos no pierden su sentido de la ironía. Llaman a estos redondeles «galletas duras».

Para cientos de miles de familias, el pastel de fango constituye la comida principal del día.

En épocas normales, los nueve millones de haitianos consumen doscientas mil toneladas de harina y trescientas veinte mil toneladas de arroz al año. La harina se importa al cien por cien, y el arroz al 75 por 100.

Entre enero de 2007 y enero de 2008, el precio de la harina en Haití aumentó un 83 por 100, y el del arroz un 69 por 100.

Seis millones de haitianos viven en la extrema pobreza.

No tienen otro remedio que comer fango.

«Ojos que no ven, corazón que no siente».[2]

Muy pocas veces, en la Historia, los occidentales han dado tales muestras de ceguera, de indiferencia y de cinismo como en la actualidad. Su ignorancia de las realidades es impresionante. Y así es como se alimenta el odio.

Durante el primer trimestre de 2008, estallaron motines del hambre en treinta y siete países del Sur, de Egipto a Filipinas, de Bangladesh a Haití. La brusca y súbita alza de los precios alimentarios condena a la miseria a nuevas categorías sociales, fundamentalmente urbanas. Quienes pertenecen a estas categorías, cuyo presupuesto está destinado entre el 80 por 100 y el 90 por 100 a la alimentación, ya no disponen de las necesarias ganancias para procurarse alimento cotidiano. Forman parte de los dos mil doscientos millones de seres humanos pertenecientes a los países del Sur que viven en lo que el Banco Mundial llama púdicamente «la pobreza absoluta».[3]

Durante el primer trimestre de 2008, el precio del arroz en el mercado mundial aumentó un 59 por 100 y el precio del trigo, el maíz y el mijo un 61 por 100 en términos medios.[4]

Según todas las previsiones, especialmente de las Naciones Unidas, los precios continuarán subiendo en los años venideros. Y, por consiguiente, también se incrementarán la angustia ante el mañana y la desesperación de los habitantes del Sur. Se espera asistir, en los próximos cinco años, a tumultos cada vez más violentos y cada vez más incontrolables. Y a un rápido aumento del número de hambrientos.

¿Cuál es el origen de esta escalada en los precios de las materias primas agrícolas en el mercado mundial? Su causa son las tres estrategias empleadas por los occidentales, y cuyos efectos son acumulativos.

La primera estrategia concierne al Fondo Monetario Internacional. Para poner un dique a la deuda externa acumulada por los ciento veintidós países llamados en vías de desarrollo (que se elevaba el 31 de diciembre de 2007 a dos billones cien mil millones de dólares), el FMI impuso periódicamente a los más pobres planes llamados de ajuste estructural. Prácticamente todos esos planes privilegian la agricultura de exportación en detrimento de los cultivos hortícolas. Por una simple razón: sólo si se exporta algodón, soja, azúcar de caña, aceite de palma, café, té, cacao, etc., el país deudor podrá garantizarse divisas. Ni los intereses ni la amortización de la deuda externa podrían financiarse en moneda local. Por tanto, es necesario procurarse divisas a cualquier precio. Desde este punto de vista, el FMI se convierte en el guardián implacable de los intereses de los grandes bancos acreedores y las sociedades multinacionales occidentales.

De esa manera, el FMI contribuye a la aniquilación de la agricultura hortícola en numerosos países del Sur.[5] Ahí donde crecen el algodón y la caña de azúcar, no pueden germinar ni el arroz, ni el mijo, ni la mandioca. Recordemos el ejemplo de Malí. En 2007, este país exportó trescientas ochenta mil toneladas de algodón e importó la mayor parte de su alimentación, sobre todo arroz de Vietnam y Thailandia.

La especulación desempeña, por lo demás, un importante papel en la súbita alza de los precios.

Heiner Flassbeck, economista en jefe de la Conferencia de las Naciones Unidas para el Comercio y el Desarrollo (CANUCED), evalúa en el 50 por 100 o el 60 por 100 la parte de las ganancias especulativas en el alza súbita de los precios mundiales de los alimentos básicos.[6]

En cuanto al presidente del Banco Mundial, Robert Zoellick, considera que los especuladores tienen una responsabilidad aproximada del 37 por 100 en la subida de los precios.[7]

Ocho sociedades occidentales controlan en la actualidad la mayor parte del mercado mundial de los bienes alimentarios. Gracias a sus redes de distribución planetaria, sus almacenes en los cinco continentes y sus flotas marítimas, fijan sus precios de compra, almacenaje, transporte, etc. Así, Cargill, la más poderosa y más antigua de ellas, cuya sede se encuentra en Minneapolis, controló, en 2007, hasta el 26 por 100 del comercio de cereales mundial.

Estas sociedades son dominantes en la Commodity Stock Exchange de Chicago, la más antigua y más poderosa de las bolsas de materias primas agrícolas del mundo.[8] Ahora bien, tras el *crack* de los mercados financieros de noviembre y diciembre de 2007 —cuando se aniquilaron más de un billón de dólares de activos—, los *hedge-funds* ('fondos de cobertura' o 'de inversión libre') y otros grandes fondos especulativos se refugiaron en la Bolsa de Chicago. Sus operaciones se vinieron a añadir a las de los dueños tradicionales del comercio agroalimentario. Por eso, el volumen anual global de «papeles» agroalimentarios negociados en el mundo entero (en general, contratos a término) explotó: si, en 2000, se elevaba a diez mil millones de dólares, en mayo de 2008 alcanzó la cifra de ciento setenta y cinco mil millones de dólares.[9]

Los especuladores producen beneficios vertiginosos. Así, en el primer trimestre de 2007, Cargill produjo un beneficio de quinientos cincuenta y tres millones de dólares. En 2008, durante el mismo periodo, su beneficio se elevó a mil treinta millones, o sea con una ganancia del 86 por 100. Resulta que la Bolsa de Chicago funciona como todas las bolsas del mundo: los operadores intentan maximizar su beneficio en el lapso más corto de tiempo.

La tercera estrategia en debate es la que aconseja la conversión masiva de los alimentos básicos en agrocarburantes, bajo pretexto de que hay que luchar contra el deterioro climático. Por este motivo, en Estados Unidos, en 2007, ciento treinta y ocho millones de toneladas de maíz (y cientos de millones de toneladas de trigo) se quemaron y se transformaron en agrocarburantes.[10] Ahora bien, es necesario saber que para llenar el depósito de un coche de calibre medio que funcione con bioetanol, es necesario quemar trescientos cincuenta y ocho kilos de maíz, y que con trescientos cincuenta y ocho kilos de maíz, un niño de México o de Zambia (donde el maíz es el alimento básico) vive un año entero.

Las sociedades agroalimentarias occidentales producen beneficios astronómicos con el biodiesel y el bioetanol.

¡Y que revienten los pordioseros de la mitad Sur del planeta!

El Consejo Económico y Social de la ONU reside cada año, alternativamente, en Nueva York o en Ginebra. La UNICEF (para los niños), la FAO (para la agricultura), el PMA, la OMS (para la salud), la UNESCO (para la formación), la OIT (para el trabajo) y todas las demás organizaciones especializadas de la ONU deben presentar ahí el informe de sus actividades.

Se deduce de la abundante documentación que se ha recogido en 2007 que, ese año, treinta y seis millones de personas murieron de hambre o sus consecuencias inmediatas (enfermedades ligadas a la desnutrición, kwashiorkors, anemia, etc.). Que enfermedades desde hace mucho tiempo eliminadas en Occidente (tuberculosis, fiebre amarilla, malaria, etc.) son la causa de la muerte de nueve millones de personas. Que otros siete millones de personas murieron como consecuencia de la ingestión de agua contaminada, que otros varios millones murieron de sida, enfermedad que, en Occidente, está controlada gracias a las triterapias.

Según las cifras publicadas en 2007 por las organizaciones especializadas de la ONU, las defunciones causadas por el subdesarrollo de las fuerzas de producción económica y por la extrema miseria en los países del Sur se elevaron a más de cincuenta y nueve millones.

En cuanto a las invalideces graves provocadas por la desnutrición permanente, la falta de medicamentos y la ausencia de agua potable, afectan a más de dos mil doscientos millones de personas, o sea el tercio de la humanidad.

Los demógrafos evalúan así los estragos provocados por la Segunda Guerra Mundial: entre dieciséis y dieciocho millones de hombres y mujeres murieron en combate, decenas de millones de combatientes quedaron mutilados, amputados y desfigurados. Murieron entre cincuenta y cincuenta y cinco millones de civiles. En cuanto a los heridos civiles, su número se elevó a varios cientos de millones.

En el hemisferio sur, las epidemias, el hambre, el agua contaminada y las guerras civiles provocadas por la miseria destruyen cada año a casi tantos seres humanos como la Segunda Guerra Mundial en seis años.[11]

¿Cómo enfrentarse a este sistema destructor? ¿Cómo transformar su efecto generador de odio en una fuerza histórica de reivindicación de justicia y de liberación victoriosa?

En primer lugar, mediante la reconstrucción memorial, la reconquista de la identidad, la toma de conciencia de los derechos humanos y la construcción nacional en los países del Sur.

En este libro, he tratado ampliamente la necesidad, para los pueblos, de consagrarse a la recuperación de su identidad y el renacimiento de su memoria histórica.

Volvamos, con esta intención, sobre la experiencia boliviana. La noche en que los diputados de la Asamblea Constituyente votaron la nueva Constitución, en la antigua capital de Sucre, el 25 de noviembre de 2007, Evo Morales exclamó:

> «¡Se acabó el saqueo de Bolivia!
> ¡Se acabó el Estado colonial!».[12]

La mayoría de los Estados del África negra, nacidos a partir de la descolonización de la década de 1960, y numerosos Estados de la América andina, caribeña y central formados en el siglo XIX, nunca disfrutaron de una verdadera independencia. Cuando los occidentales, frecuentemente por razones de conveniencia, renunciaron a la ocupación territorial, el Estado colonial se mantuvo intacto: los amos se limitaron simplemente a cambiar de máscara.

Para los pueblos del Sur, en la actualidad, ha llegado la hora del Estado nacional y de la construcción nacional.

La nación es el producto de la Revolución francesa. Irrumpe en la historia en Valmy, en 1792. Actualmente, vive en los sueños de liberación de Evo Morales y de Wole Soyinka.

Aquí es necesaria una invocación histórica.

En la madrugada del 20 de septiembre de 1792, en los campos empapados de lluvia y las colinas que rodean el pequeño pueblo de Valmy, en el valle del Marne, los soldados revolucionarios, emplazados bajo el doble mando de los generales Dumouriez y Kellermann, observaban las filas superiormente equipadas del ejército del duque de Brunswick. La Europa reaccionaria, antirrepublicana, movilizada por los exiliados franceses y dirigida por los mariscales prusianos y austríacos, se preparaba para invadir Francia. Se trataba de vengar la afrenta del derrocamiento de la monarquía, el 10 agosto de 1792, y de aplastar una revolución que, desde el Atlántico hasta las llanuras húngaras, hacía que se izaran las esperanzas de los pueblos sometidos.

Un cañonazo, el trueno resonante de los obuses y —salido de lo más hondo de decenas de miles de gargantas— un grito: «¡Viva la nación!». Los pordioseros de Dumouriez y Kellermann, con uniformes abigarrados y armamento heteróclito, destrozaron en una mañana la ola vengadora de la Europa coaligada. Desde un alto, tras las líneas prusianas, un hombre de cuarenta y cinco años, encorvado, con las sienes plateadas y los ojos afiebrados, ministro del duque de Weimar, contemplaba la escena. Detrás de él, se encontraba su criado que, unos momentos antes, lo había llevado en brazos a través de los caminos anegados. Johann Wolfgang Goethe se sentía dolido. Pero también era perfectamente lúcido. En su cuaderno, anotó: «Desde hoy y en este lugar comienza una nueva era en la historia del mundo». Más tarde, hablando con su amigo Eckermann, dirá: «Los soldados franceses podrían haber gritado: “¡Vivan todas las naciones!”... Ése era el sentido oculto de su grito».[13]

En cualquier momento de la historia y en cualquier lugar del globo donde aparezca, la nación alberga en su seno valores universales.

Poco antes de Valmy, Maximilien Robespierre había pronunciado, en París, el siguiente discurso: «Franceses, os aguarda una gloria inmortal, pero os veréis obligados a comprarla a costa de grandes trabajos. Ya no os queda elección entre la más odiosa de las esclavitudes y una libertad perfecta. Es necesario que o los reyes o los franceses sucumban. A nuestra suerte va ligada la de todas las naciones. Es necesario que el pueblo francés sostenga el peso del mundo [...]. Que la alarma que sonó en París sea oída por todos los pueblos».[14]

Todos los seres humanos aspiran a la salud, a la educación, al saber, a una existencia segura, a un empleo estable, a unos ingresos regulares, a preservar su familia de las humillaciones, a ejercer plenamente sus responsabilidades políticas y civiles, a resguardo de cualquier sistema arbitrario, protegidos de los infortunios que afrentan su dignidad.

La nación surgida en Valmy es una nación de pobres, aunque resueltos a vivir, y a vivir en libertad. Puede servir perfectamente como modelo en la actualidad para la mayoría de los movimientos populares, los revolucionarios de Bolivia, Venezuela, Ecuador, Qatar, Cuba, Bahrein, Nepal y otras partes.

Y de hecho, tomando como ejemplo a los bolivianos, numerosos pueblos del Sur han decidido construir naciones capaces de romper con Occidente. De convertir el odio en una fuerza al servicio de la justicia, el progreso y la libertad. Y del derecho.

Hemos insistido tanto, a lo largo de estas páginas, en la necesaria reconstrucción memorial porque es de sus culturas autóctonas, sus identidades colectivas y sus tradiciones ancestrales de donde los pueblos del Sur extraerán el valor necesario para ser libres.

Pero también existen caminos sin salida. Y todo el mundo sabe que el odio puede conducir al repliegue identitario, comunitario o tribal. Esa amenaza pesa sobre Bolivia, como ya hemos visto. Porque el sentimiento de desposesión de sí mismos del que son víctimas las poblaciones surgidas de la esclavitud y el colonialismo, los trastornos y los traumatismos profundos padecidos durante siglos pueden también dar lugar a una verdadera rabia identitaria, ya sea de orden étnico, religioso o cultural.

En el polo opuesto de la crispación identitaria, la nación es portadora de valores universales. Acepta las diferencias y las reúne en la conciencia de pertenecer a un conjunto protector.

¿Se da acaso una contradicción insuperable entre diferencia y universalidad? En absoluto.

Eugène Ionesco escribió: «La única sociedad viva es aquella en la que cada cual puede seguir siendo otro en medio de sus semejantes».

El encuentro entre las culturas singulares y la complementariedad de las pertenencias constituyen la riqueza de las naciones.

En la revista *Tropiques*, en el corazón de las tinieblas de la Segunda Guerra Mundial, Aimé Césaire escribió: «Pertenecemos a los que dicen no a la sombra. Sabemos que la salvación del mundo depende también de nosotros. Que la tierra tiene necesidad hasta del más insignificante de sus hijos. Los más humildes. La sombra avanza [...]. ¡Ah! ¡Ninguna esperanza está de más para mirarle al siglo a la cara!».[15]

Actualmente, el Sur siente odio. Pero, para él, ha llegado el momento oportuno de partir a la conquista de sí mismo y de su plenitud. «Ha llegado nuestra hora», como escribió proféticamente Aimé Césaire a Maurice Thorez, en 1956.[16]

El Sur ya no quiere un Occidente universal. Pero Sur y Occidente son coinquilinos de un mismo planeta. ¿Cómo «organizar» este planeta? Mediante la tolerancia, la reciprocidad y el derecho. Y la lección es válida tanto para el Sur como para Occidente.

No, identidad singular y ciudadanía planetaria no son antinómicas. La multipolaridad de la sociedad internacional se da, en cualquier caso, a este precio: el respeto por los derechos humanos, por el contrato social planetario, por el reparto equitativo de los recursos, por la protección común del aire, el agua y el alimento necesarios para la supervivencia de todo el mundo.

El hombre es un animal inquietante y extraño. Blaise Pascal escribió: «El hombre es una nada capaz de Dios».[17] Por Dios, debemos entender aquí responsabilidad nacional y personal, despertar de las conciencias, razón, amor y libre elección.

Claude Lévi-Strauss: «El mundo comenzó sin el hombre y puede acabar sin él».[18] Si Occidente no abre sus ojos al sufrimiento, no percibe el aumento de la cólera de los pueblos del Sur, si no cambia radicalmente de método, si no tiene en cuenta los deseos y la determinación de los oprimidos, el odio patológico acabará por prevalecer sobre él.

Hoy mismo, los estrategas de la OTAN contemplan el recurso al bombardeo nuclear —mediante bombas llamadas tácticas— de algunos países recalcitrantes a la «democracia» y a los «derechos humanos».

Por otro lado, las armas nucleares circulan en el mercado gris. Compradas y puestas en funcionamiento por hombres enloquecidos por el odio a Occidente, pueden llegar a provocar el invierno nuclear en el planeta.

Desde mediados del siglo pasado, el equilibrio del terror entre los Estados que disponían del arma atómica fue el garante de la paz nuclear. Pero esta doctrina del equilibrio carece ya de toda pertinencia cuando fuerzas terroristas no estatales son capaces de echar mano de estos medios de destrucción masiva. Los salafistas, Al Qaeda y otros yihadistas se burlan abiertamente del equilibrio del terror.

En el momento actual, no existe ya ningún control sobre las armas nucleares en circulación. Y la última —cronológicamente hablando— de las sesiones de la conferencia de desarme de la ONU, en abril de 2008, se saldó, una vez más, con un fracaso total. Démosle, pues, la última palabra a Bertrand Russell, que escribió lo siguiente durante la primera conferencia sobre el desarme, poco después de la tragedia de Hiroshima:

«We appeal as human beings to human beings.
Remember your humanity and forget the rest!
If you can do so, the way is open for a new society,
If you cannot, there lies before you the risk of universal death».[19]

NOTAS

PREFACIO

1. Para el árbol genealógico de Michelle Obama, véase la página web del *New York Times*: <http://global.nytimes.com.us>.

2. Tina Forster, en *Libération*, París, 23 de julio de 2009.

3. Richard Goldstone, «Report of the UN Fact-finding mission on the Gaza conflict», Alto Comisariado de las Naciones Unidas para los Derechos Humanos, Ginebra, 2009.

4. Amnesty International, «Annual Report», Londres, 2008.

5. Citado a partir de *Le Courrier International*, París, 14 de mayo de 2009.

6. En *Aveuglantes Lumières*, Gallimard, 2006.

7. El bono se reduce, lógicamente, si el beneficiario tiene una jubilación procedente de otra fuente.

8. INCRA: Instituto nacional de la colonización y de la reforma agraria.

9. Yacimientos Petrolíferos Fiscales Bolivianos.

10. Maurice Duverger, con ocasión de los bombardeos estadounidenses sobre Haiphong y Hanoi, en la Navidad de 1972. Véase *Le Monde*, 26 de diciembre de 1972.

11. Immanuel Kant, «Le conflit des facultés», en *Œuvres philosophiques, II, Les derniers écrits*, bajo la dirección de Ferdinand Alquié, París, Gallimard, col. «Bibliothèque de la Pléiade», 1986. [Hay trad. cast.: *La contienda entre las facultades de filosofía y teología*, trad. de R. R. Aramayo, Madrid, Trotta, 1999.]

12. La «raza cobriza» designa, en el vocabulario de Quispe, a los diferentes pueblos indios de América.

NOTAS

PRÓLOGO

1. El ataque contra este embajador alemán era particularmente injusto, puesto que Steiner pertenece a una antigua familia socialdemócrata y antinazi bávara.

2. Régis Debray, *Aveuglantes Lumières*, París, Gallimard, 2006, p. 136.

3. *Le Monde*, 27 de diciembre de 2007.

4. Ibíd.

5. Immanuel Wallerstein, *European Universalism: The Rhetoric of Power*, Nueva York, The New Press, 2006.

PRIMERA PARTE
LOS ORÍGENES DEL ODIO

1
LA RAZÓN Y LA LOCURA

1. Las conferencias de Fernand Braudel, pronunciadas en 1976, fueron editadas bajo el título de *La Dynamique du capitalisme*, París, Arthaud, 1985.

2. Immanuel Wallerstein, *op. cit.*

3. *Eclipse of Reason* es la última gran obra de Horkheimer concebida en el exilio, Nueva York, 1947; una edición póstuma de este libro se publicó en 1974 en París, en la editorial Payot.

4. Especialmente, es conocido el papel desempeñado por los servicios secretos de Estados Unidos en apoyo de la organización de Osama Bin Laden durante la guerra de los mujahidines afganos contra la ocupación soviética.

2
LOS MEANDROS DE LA MEMORIA

1. Maurice Halbwachs, *Les Cadres sociaux de la mémoire*, París, Alcan, 1925; reed. Albin Michel, 1994.

2. Maurice Halbwachs, *La Mémoire collective*, París, PUF, 1950; nueva edición aumentada con inéditos, y con una introducción de

Jean Duvignaud, París, PUF, 1968; reed. Albin Michel, 1997. [Hay trad. cast.: *La memoria colectiva*, trad. de Inés Sancho-Arroyo, Zaragoza, Prensas Universitarias de Zaragoza, 2004.

3. Ibíd.

4. El propio Elie Wiesel es también un superviviente de Auschwitz y de Buchenwald.

5. Citado en Danielle Mitterrand, *Le Livre de ma mémoire*, París, Jean-Claude Gawsevitch éditeur, 2007.

6. Véase especialmente Robert Jackson en *Trial of the Major War Criminals before the International Military Tribunal*, vol. II, Actas del proceso para los días comprendidos entre el 14 de noviembre de 1945 y el 30 del mismo mes.

7. Hilberg falleció en 2007, a los ochenta y un años.

8. Aimé Césaire, «Calendrier lagunaire», en *Moi, laminaire*, París, Seuil, 1982.

9. Llamada Ceilán en 1955.

10. Los cipayos eran soldados autóctonos —hindúes y musulmanes— del poder colonial. Su rebelión fue desbaratada por el cuerpo expedicionario inglés en 1857. Hasta entonces, la East Indian Company había ejercido la mayor parte del poder en el subcontinente. A partir de 1857, se instauró el virreinato, la reina Victoria se convirtió en emperatriz de los indios y, en 1858, se disolvió la East Indian Company.

11. Tan sólo una veintena de jóvenes oficiales subalternos componían el Dhobbat al-Ahrar ('oficiales libres'), fundado en 1938. En la noche del 23 al 24 de julio de 1952, derrocaron al rey de origen turco-albanés colocado por los ingleses, ocuparon los principales edificios del Cairo y tomaron el poder. Era la primera vez, desde los faraones, que los nacionales gobernaban Egipto.

12. Régis Debray, en *Critique communiste*, París, n°10.

13. Amílcar Cabral, *Unité et lutte*, París, Maspero, 1975, p. 321. Cabral fue asesinado el 23 de febrero de 1973 en Conakry por pistoleros enviados por el general portugués Antonio Spínola.

14. Al cumplirse en 2005 el cuarenta aniversario del secuestro y asesinato de Mehdi Ben Barka, sus dos hijos, Mansour y Bechir, organizaron en París un coloquio internacional en conmemoración de la actividad de su padre. Véase *Actes du Colloque Ben Barka*, Rabat-París, Éditions Syllepse, 2007.

3
LA CAZA DEL ESCLAVO

1. Maurice Halbwachs, *Les Cadres sociaux de la mémoire*, *op. cit.*

2. Alfred Métraux, *Haïti, la terre, les hommes, les dieux*, Neuchâtel, La Baconnière, 1957.

3. Pierre Verger, *Flux et reflux de la traite des nègres entre le golfe du Bénin et Bahia de Todos os Santos du* XVIIe *au* XIXe *siècle*, París, Mouton, 1968.

4. Ibíd.

5. Antonio Vieira, s.j., *Œuvres complètes*, 4 vols., Lisboa, 1940, con un estudio biográfico de Hernani Cidade, véase especialmente el vol. III, p. 30.

6. *Senzala*: la gran cabaña donde se alojaban los esclavos.

7. Aimé Césaire, *op. cit.*

8. Actualmente, las Repúblicas de Santo Domingo y de Haití.

9. Que agrupa los actuales Estados miembros de los Estados Unidos de Brasil: Amazonia, Maranhão, Pará y Ceará.

10. Capital Bahía, y luego Río de Janeiro.

11. El término francés *marron* [empleado por el autor, *N. del T.*] procede del español «cimarrón», que designa un animal salvaje que vive en las montañas.

12. Nombre dado a los plantadores esclavistas criollos de las islas de Martinica y Guadalupe.

13. Alejo Carpentier, *El Siglo de las Luces*, Madrid, Siglo XXI, 2006.

14. Ibíd.

4
LAS MASACRES COLONIALES

1. Léon Bloy, *La France colonisatrice*, París, S. Meissinger, nueva edición de 1981.

2. Maurice Halbwachs, *Les Cadres sociaux de la mémoire*, *op. cit.*

3. Pierre Loti, en *Le Figaro*, París, 28 de septiembre de 1883.

4. Claude Lévi-Strauss, *Race et culture*, París, Éditions de l'UNESCO, 1971.

5. Immanuel Kant, *Œuvres philosophiques II. Derniers écrits*, bajo

la dirección de Ferdinand Alquié, París, Gallimard, col. «Bibliothèque de la Pléiade», 1986.

6. Jean-François Rolland, *Le Grand Capitaine*, París, Grasset, 1975; Michel Pierre, «L'affaire Voulet-Chanoine», *L'Histoire*, n° 69, 1984, p. 67 y ss.

7. Jean-François Rolland, *Le Grand Capitaine*, *op. cit.*

8. Ibíd.

9. Ibíd.

10. Ibíd.

11. Véase M.C.A. Levy, *Forever George Arthur*, Melbourne, 1953.

12. «*Chasse à courre*» ['caza de montería'] viene de correr, por contraste con la caza ordinaria, en que el cazador acecha, inmóvil, a su presa.

13. Nick Beams, in *World Socialist Review*, Londres, 2004; véase también *Extermination of the Aborigines and the Nazi Holocaust*, Londres, julio de 2004.

14. En 1994, el gobierno australiano encomendó a una comisión para sacar a la luz los crímenes contra los pueblos autóctonos. Ésta publicó su informe en diciembre de 1996: *Bringing them home. National Inquiry into the separation of Aboriginal and Torres Strait Islander Children from their families.*

15. Véase *Le Temps*, Ginebra, 11 de junio de 2008.

5
DURBAN, O CUANDO EL ODIO A OCCIDENTE OBSTACULIZA EL DIÁLOGO

1. Su título completo: Conferencia Mundial de la ONU contra el racismo, la discriminación racial, la xenofobia y la intolerancia que lleva asociada. Véase *Report of the World Conference against Racism, Racial Discrimination, Xenophobia and Related Intolerance*, doc. ONU A / Conf. 189/2.

2. Discurso inaugural de la conferencia de jefes de Estado y de gobierno, 31 agosto de 2001.

3. Entrevista con Pierre Hazan, en Pierre Hazan, *Juger la guerre, juger l'Histoire*, París, PUF, 2007.

4. Discurso inaugural de la conferencia de jefes de Estado y de gobierno, 31 agosto de 2001.

5. En abril de 1994, se produjeron, en Sudáfrica, las primeras elecciones libres de toda la historia del país; «*Sekunjalo*» (palabra xosa) significa: 'Ahora'. Durante la campaña electoral del ANC (African National Congress) de 1994, Nelson Mandela concluyó cada uno de sus discursos con «*¡Sekunjalo!*».

6. Documentación de la conferencia no gubernamental UN HCDR. Agradezco a Federica Donati su ayuda como documentalista.

7. Artículo citado.

8. Los patinazos verbales, por supuesto, no faltaron por ninguna de las partes. En los debates se escucharon declaraciones abiertamente antisemitas e islamófobas.

9. Los bancos protestantes ginebrinos se beneficiaron enormemente con la trata. El historiador Hans Faessler desmonta el mecanismo. Véase Hans Faessler, *Une Suisse esclavagiste*, París, Édition Duboiris, 2007.

10. Una asociación bordelesa, Divers/Cité, lucha contra la amnesia. Bajo su patronato, Danielle Petrissans-Cavaillès ha editado el inventario de las plazas, avenidas y monumentos que celebran a los traficantes. Danielle Petrissans-Cavaillès, *Sur les traces de la traite des Noirs à Bordeaux*, París, L'Harmattan, 2004.

11. El mandato como secretario general de la ONU de Kofi Annan concluyó el 31 de diciembre de 2006.

12. En abril de 2008, el nuevo secretario general de la ONU, Ban Ki-moon, anunció la celebración de una conferencia mundial, Durban II, en 2009, en Ginebra.

6

SARKOZY EN ÁFRICA

1. Alocución pronunciada por Nicolas Sarkozy el 26 de julio de 2007, texto oficial, servicio de prensa de la presidencia de la República francesa.

2. Véase especialmente Cheikh Anta Diop, *Nations nègres et cul-*

ture. De l'antiquité nègre égyptienne aux problèmes culturels de l'Afrique noire d'aujourd'hui, Dakar, 1954; *Antériorité des civilisations nègres, mythes ou vérité historique?*, Dakar, 1967.

3. Los Estados miembros de la OCDE (la organización de los Estados industriales) invirtieron en 2007, en total, más de 370 mil millones de dólares en subsidios a sus campesinos.

4. Los precios varían según las estaciones.

5. Véase especialmente Aminata Traoré, *L'Afrique humiliée*, París, Fayard, 2008.

6. Véase también Philippe Bolopion, *Le Monde*, 10 de noviembre de 2007.

7. Discurso a los empresarios, 3 de diciembre de 2007.

8. *Afrique-Asie*, París, enero de 2008.

9. El artículo 4 de la ley de 2005 demanda que los «aspectos positivos» de la colonización se enseñen en la escuela.

10. Poco tiempo después de los acontecimientos, François Maspero publicó *Ratonnades à Paris* bajo la firma de Paulette Péju. El libro fue inmediatamente retirado de la circulación. En 1991, Olivier Bétourné publicó en Seuil la investigación decisiva de Jean-Luc Einaudi, *La Bataille de Paris. 17 de octubre de 1961.*

11. Gilles de Elia, en *Libération*, 21 de febrero de 2008.

12. Aimé Césaire, *Discours sur le colonialisme*, París, Présence africaine, 1950. [Hay trad. cast.: *Discurso sobre el colonialismo*, Madrid, Akal, 2006.]

SEGUNDA PARTE
LA FILIACIÓN ABOMINABLE

I

DEL ESCLAVISTA AL PREDADOR OMNÍVORO

1. Edgar Morin, *Vers l'abîme?*, París, Éditions de l'Herne, 2007, p. 117.

2. Los países ACP (África, Caribe, Pacífico) reúnen a los Estados nacidos de las antiguas colonias europeas.

3. Sidiki es uno de los diez hijos de Lamine Sow, uno de los padres de la independencia de Malí, compañero de Modibo Keita,

desterrado (y muerto) en las minas de sal del Norte tras el golpe de Estado militar de Moussa Traoré. Durante la guerra de liberación de Argelia, el tío de Sidiki había organizado, en Gao, la logística del frente sur del FLN y anudado una profunda amistad con el dirigente de este frente, Abdelaziz Buteflika.

4. Como por otra parte su amigo y cómplice de muy antiguo, Robert Zoellnick, presidente del Banco Mundial.

5. Véase Oxfam France/Agir ici, en la página <http://www.oxfam-france.org, diciembre de 2007>.

6. Paul Collier, *The Bottom Billion. Why the Poorest Countries are Failing and What can be done about it*, Londres, Oxford University Press, 2008.

7. Los acuerdos llamados Lomé I y II precedieron al acuerdo de Cotonou. Lomé I y II preveían también la asimetría de los intercambios.

8. Conversación con el autor, 15 de febrero de 2008.

9. *BBC World Service*, marzo de 2007.

10. La situación se volvió tanto más compleja en la medida en que, según las reglas de la OMC, los países del Sur estaban autorizados a proteger como máximo el 20 por 100 del valor total de su comercio mediante tasas aduaneras. Eso los obligaba a elegir entre proteger sus productos básicos (maíz, cereales, arroz, oleaginosos) o sus frágiles industrias locales.

11. No sólo el acuerdo de inversión priva a los países del Sur de cualquier protección aduanera, sino que vuelve imposible también la aplicación de medidas de protección complementarias, como por ejemplo la creación de *joint ventures* ['empresas conjuntas'] entre firmas extranjeras y empresas locales, la fijación de un umbral de empleo local, etc.

12. Transcripción, véase Oxfam France/Agir ico, París, 2007.

13. Ibíd.

14. Ibíd.

2
EN LA INDIA Y EN CHINA

1. Cifras del Banco Mundial para 2007.

2. Véase el estudio publicado por Ernst y Young, Londres, 19 de mayo de 2008.

3. FAO, *Food insecurity in the World*, Roma, 2008.

4. Véase *Le Courrier*, Ginebra, 21 de noviembre de 2007.

5. PNUD: Programa de las Naciones Unidas para el Desarrollo. El índice en cuestión se establece para ciento setenta y nueve países. Tiene en cuenta la desnutrición, el acceso a la escuela, las atenciones médicas, las libertades públicas, etc.

6. Wang Hui, *China's New Order, Society, Politics and Economy in Transition*, Cambridge (Mass.), Harvard University Press, 2003.

7. Mo Ming, «90 % of China's Billionaires are children of senior officials», en *China Digital Times*, 2 de noviembre de 2006.

8. Wang Hui, *op. cit.*

9. *Le Monde*, 23 de enero de 2008.

10. Las sociedades multinacionales occidentales hacen fabricar (ensamblar, etc.) sus productos en las «zonas de exportación especiales».

11. *New York Times*, 19 de enero de 2008.

12. Ibíd.

13. *Amnesty en action*, revista de Amnesty International suiza, Berna, enero de 2008.

14. *Libération*, 17 de enero de 2008.

TERCERA PARTE
LA ESQUIZOFRENIA DE OCCIDENTE

I
LOS DERECHOS HUMANOS

1. Citado por Hervé Cassan, «La vie quotidienne à la ONU du temps de Butros Butros-Ghali», en *Mélanges offerts à M. Thierry*, París, Pédone, 1998, p. 8.

2. Ibíd.

3. En el capítulo de las conclusiones, volveremos sobre el papel social y la función histórica de la normatividad internacional.

4. La comisión de la ONU, instaurada en 1946, encargada de la redacción de la Declaración, estaba presidida por Eleanor Roosevelt.

5. Cifras de abril de 2008.

6. En enero de 2008, se desplegó en el país una fuerza europea, con predominio francés, llamada Eufor. Sus efectivos son totalmente insuficientes para proteger a los refugiados.

7. Resolución AG 39/46, 10 de diciembre de 1984.

8. Véase Seymour Hersh, *Chain of command: From September 11 to Abu Ghraib*, Nueva York, Harper Collins, 2004.

9. Ibíd.

10. Véase *Le Monde*, 28 de febrero de 2008, que volvía sobre la matanza con ocasión de la publicación de un nuevo informe de investigación.

11. Amnesty International, Londres, Informe del 29 de febrero de 2008.

12. Ibíd.

13. *La Tribune de Genève*, 10 de marzo de 2008.

2

CINISMO, ARROGANCIA Y DOBLE LENGUAJE

1. Cifras del PNUD, 2008.

2. OMS, Ginebra, 2008.

3. FAO, *Report on Food Insecurity in the World*, Roma, 2008.

4. No digo aquí nada del problema de la representatividad, de la legitimidad popular de numerosos gobiernos del Sur. Sería necesario consagrarle un volumen entero.

5. Aimé Césaire, *op. cit.*

CUARTA PARTE

NIGERIA: LA FÁBRICA DEL ODIO

1

LOS PADRINOS DE ABUJA

1. Declaración de Funsho Kupolokun, el P-DG de la Nigerian National Petroleum Company (NNPC) ante el Parlamento federal, el 23 de enero de 2007, véase *This Day*, el periódico nacional, del 24 de enero de 2007.

2. *Newsmatch*, semanario, Abuja, 29 de enero de 2007, pp. 16 y ss.

3. En funciones hasta mayo de 2007.

4. Estaba compuesta, en 2008, por treinta y seis Estados miembros.

5. La Constitución de 1999, de la que fue uno de los artesanos, dotó al inquilino de Aso Rock, el palacio presidencial, de competencias exorbitantes: es así, al mismo tiempo, jefe del Estado, primer ministro y comandante en jefe de las fuerzas armadas.

6. El People's Democratic Party (Partido Democrático del Pueblo) está controlado por Obasanjo.

7. *Le Monde*, 21 de abril de 2007.

8. Este método es específico de África y no se aplica ni en Oriente Medio, ni en Europa, ni en Norteamérica.

9. Véase Xavier Harel, *Afrique, pillage à huis clos*, París, Fayard, 2006.

2

EN LA ÉPOCA DE LA GUERRA DE BIAFRA

1. Para el trasfondo económico de la guerra de Biafra, véase François-Xavier Verschave, *La France-Afrique, le plus long scandale de la République*, París, Stock, 1999, p. 137-154.

2. Dos libros, escritos por víctimas, dan testimonio de la crueldad espantosa que mostraron Faulques y sus cómplices: Henri Alleg, *La Question*, París, Éditions de Minuit, 1958; Mohamed Sahnoun, *Mémoire blessée*, París, Presse de la Renaissance, 2007.

3. Los dos puentes confluían en Enugu.

4. En el hotel Crillon, plaza de la Concorde.

3
LA MASCARADA ELECTORAL

1. Nigeria forma parte de la Commonwealth.

2. El palacio presidencial es, de hecho, un vasto conjunto de villas blancas perdidas entre magníficos jardines.

3. Kaye Whiteman, en *Afrique-Asie*, París, abril de 2007, pp. 32-33. [La expresión sobre los Borbones —muy conocida en Francia— la formuló Tayllerand, *N. del T.*]

4. *The Observer*, 22 de abril de 2007.

5. Wole Soyinka, en *Neue Zürcher Zeitung am Sonntag*, Zúrich, 22 de febrero de 2007; *Le Monde*, 21 de abril de 2007; *The Financial Times*, 21 de abril de 2007.

6. *Le Monde*, 21 de abril de 2007.

7. Citado en *Libération*, 24 abril de 2007.

8. Wole Soyinka, «Nigeria at breaking point», *The Africa Report*, París, n°7, 2007. La traducción es mía.

9. Wole Soyinka, en *Libération*, 24 de abril de 2007.

5
REGUERO DE SANGRE EN EL DELTA

1. Para un análisis de estas civilizaciones, véase Thomas Hodgkin, *Nigerian perspectives: an historical anthology*, Oxford University Press, 1984.

2. Poseen en común, por ejemplo, la Shell Petroleum Company of the USA, la Shell South Africa, la Shell Argentina, etc.

3. A través de la Nigerian National Petroleum Company.

4. Las cifras son impresionantes. En 2005, se realizaron cincuenta y un vertidos; en 2006, treinta y ocho; en 2007, treinta y seis. Véase ERA (Environmental Rights Action), Lagos, 2008.

5. Michael Watts, *Black Gold, White Heat. Geographies of Resistance*, Londres, Routledge, 1997; Steven Crayford, «Oil, Human Rights and democratic alternatives in Nigeria», en *Africa Today*, vol. 43, n°2, abril-junio de 1996.

6. Movement for the Emancipation of the Niger Delta (Movimiento para la Emancipación del delta del Níger).

7. *The Economist*, 17 de marzo de 2007.

8. «Blood trail in the Niger-Delta», en *This Day*, diario, Abuja, 25 de enero de 2007.

9. Su libro más conocido es *Sozaboy, A Novel in Rotten English*, novela que relata su experiencia durante la guerra de Biafra. Véase también *On a darking plain*, recopilación de noticias.

10. Abacha murió en junio de 1998, en el curso de una orgía en Aso Rock, probablemente por una sobredosis de cocaína. La parte de su fortuna depositada en Suiza se eleva a mil ochocientos millones de dólares.

11. Steven Cayford, en *Africa Today*, n°43, Londres, 1998, dio testimonio de las primeras grandes matanzas.

6
LAGOS, EL BASURERO DE OCCIDENTE

1. Chris Abani, *Graceland*, traducido por Michèle Albavet-Maatsch, París, Albin Michel, 2008.

2. Informe BAN (Basel Action Network), retomado por Sam Olukoya, «International Press Service et Infosud», véase *Le Matin*, Lausanne, 9 de marzo de 2008.

3. *Le Monde*, 21 de abril de 2007.

7
LA HIPOCRESÍA DEL BANCO MUNDIAL

1. Para evaluar cada país, el PNUD aplica los mismos criterios: acceso a la escuela, las atenciones médicas y el agua potable; disfrute de las libertades políticas y de una protección efectiva de los derechos humanos; producto nacional bruto, nivel del poder adquisitivo; porcentaje de personas grave y crónicamente desnutridas; mortalidad infantil y partos; situación ecológica, etc.

2. La guerra y la falta de estadísticas, especialmente, impiden que el PNUD pueda evaluar al conjunto de los ciento noventa y dos Estados miembros de la ONU.

3. En el país, existen algunas grandes granjas productivas, granjas modelo fuertemente mecanizadas, que producen caña de

azúcar, algodón, frutas, arroz, yam, tomates y piñas de gran calidad. Poco numerosas, casi todas pertenecen a generales, almirantes, especuladores o comerciantes de productos derivados del petróleo.

4. *Le Monde*, 19 de enero de 2008.

5. *The Financial Times*, 18 de abril de 2007.

6. *Le Monde*, 21 de abril de 2007.

7. El Banco Mundial está íntimamente ligado a los banqueros privados de Wall Street. Desde su fundación en 1944, siempre ha sido dirigido por un estadounidense. El actual director, Robert Zoellnick, es un antiguo ministro de George W. Bush.

9
CUANDO ANGELA MERKEL ABOFETEÓ A WOLE SOYINKA

1. *The Economist*, 4 de agosto de 2007, p. 12. La traducción es mía.

2. El libro, todavía no traducido en Francia, debe su título a uno de los más célebres poemas de Soyinka: *You must set forth at dawn... searching for the holy hour.*

3. De esos veintidós meses pasados en un calabozo, Soyinka extrajo *The Prison Poems*, y un ensayo: *The Man Died. Prison Notes.*

4. Véase *Jeune Afrique*, 26 de agosto de 2007.

5. Wole Soyinka, en *You Must Set Forth at Dawn*, *op. cit.*

6. Véase el informe del jefe de los observadores europeos Max Van Berg, *op. cit.*

QUINTA PARTE
BOLIVIA: LA RUPTURA
I
CUANDO LOS CERDOS ESTABAN HAMBRIENTOS

1. *Le Monde*, 15 de mayo de 2007.

2. En tanto que rey de Aragón y de Castilla (de Flandes, de Nápoles y Sicilia), reinaba sobre el Nuevo Mundo. En tanto que emperador del Sacro Imperio Romano Germánico, gobernaba sobre Alemania. No dominaba el alemán y sólo un poco el español, su tierra predilecta era la Borgoña. En España, le gustaba residir en Valladolid.

3. Nombre dado a cualquier tierra entregada en plena propiedad —con los hombres que se encontraran en ella— al colono por el rey.

4. Éstas son las tesis de *De potestate civili*: el poder reside en el pueblo, que lo recibe de Dios y puede cederlo por un tiempo a un grupo de hombres o a un príncipe. El poder tiene como única finalidad el bienestar material y espiritual de los hombres. La sociabilidad es el fundamento del poder, pero una sociabilidad original, nunca contractual. El Papa no tenía ninguna autoridad sobre los gobiernos temporales.

5. Véase especialmente Bartolomé de Las Casas, *L'Évangile et la force. Choix de textes*, traducción de M. Mahn-Lot, París, 1964. Las *Obras completas* de Las Casas fueron editadas por Pérez de Tudela, en 5 volúmenes, en Madrid, en 1957. *La Historia de la Tudias*, en 3 volúmenes, se editó en México en 1951. Véase también Jean-Claude Carrière, *La Controverse de Valladolid*, Arles, Actes Sud, 1999.

6. Eduardo Galeano, *Les Veines ouvertes de l'Amérique latine*, París, Plon, col. «Terre humaine», 1971. [Original del autor: *Las venas abiertas de América latina*, México, Siglo XXI, 1971.] Darcy Ribeiro, *Las Américas y la civilización*, Buenos Aires, 1969.

7. Citado en Eduardo Galeano, *op. cit.*, pp. 59 ss. [Transcribimos del original: *op. cit.*, p. 27. *N. del T.*]

8. Earl J. Hamilton, *American Treasure and the Price Revolution in Spain, 1501-1650*, Massachusetts, 1934. Hamilton examinó los archivos de la Casa de Contratación de Sevilla. La Casa era una especie de tesorería central del reino.

9. Ibíd.

10. Varias galerías siguen siendo explotadas todavía en la actualidad, de una manera completamente artesanal.

11. Jean-Claude Carrière, *La Controverse de Valladolid*, *op. cit.*

12. Karl Marx, *Œuvres complètes*, editadas por M. Rubel, París, Gallimard, «Bibliothèque de la Pléiade», vol. II: *Le Capital*, t. I, sección VIII.

13. Ibíd.

14. La Inquisición se remonta de hecho al siglo XII. Lleva a la práctica una decisión del concilio de Verona (1183), que había ordenado a los obispos lombardos la entrega a la justicia de los herejes que se negaran a convertirse.

15. Cuba, última colonia americana de España, no se volvió independiente hasta 1898.

16. Daniel Valcárcel, *La Rebelión de Túpac Amaru II*, México, 1947.

2
UN INDIO EN LA PRESIDENCIA

1. Éstas se parecen a los cornos de los Alpes. Cada sacerdote sopla en tres trompas a la vez. Nunca he podido entender cómo un pulmón humano era capaz de tales prestaciones.

2. El *huayruru*, el poncho rojo con franjas negras, es el signo de la autoridad.

3. Ciento noventa y dos presidentes en ciento ochenta y tres años (después de la independencia en 1825). Eso da una media de un golpe de Estado o un asesinato de presidente cada doce meses y catorce días.

4. Para el texto completo del discurso de Tiwanacu, véase Evo Morales Ayma, *Pour en finir avec l'État colonial: Discours*, París, Éditions L'Esprit frappeur, 2006.

5. Nombres dados a las diferentes categorías de los dirigentes de las comunidades originarias.

6. Evo Morales Ayma, *Pour en finir avec l'État colonial*, *op. cit.*

3
EL ORGULLO RECUPERADO

1. Cristóbal Colón, *La Découverte de l'Amérique, Journal de bord*, vol. I, París, François Maspero, 1979, trad. fr. Michel Lequenne y Soledad Estorach, mapas de Jacques Péron.

2. Entre todos los predecesores de Morales, sólo uno tenu tête a la DEA: Jaime Paz Zamora, hombre íntegro y patriota, presidente de la República a comienzos de la década de 1990.

4
LA REAPROPIACIÓN DE LAS RIQUEZAS

1. John D. Martz, *Politics and Petroleum in Ecuador*, Oxford, Transaction Books, 1987.

2. Petrobras invirtió en Bolivia mil seiscientos millones de dólares. Además de dos campos gaseros, controla el 20 por 100 de los puntos de venta de gasolina en el país.

3. Citado en Marc Saint-Upéry, *Le Rêve de Bolívar*, París, La Découverte, 2007, pp. 295-296.

4. Glencore había sido fundada por Marc Rich, un hombre de negocios y especulador domiciliado en Zoug, en la Suiza central. Buscado durante doce años por la justicia de Estados Unidos, y finalmente indultado por el presidente Clinton, Rich había vendido mientras Glencore.

5
VENCER LA MISERIA

1. El país ocupó, en 2006, el puesto 187 en la lista del PNUD. Véase su Informe sobre el desarrollo humano, *op. cit.*

2. UNICEF y Banco Mundial, Informe común, *Vitamin and Mineral Deficiency: A Global Assessment Report*, Nueva York-Ginebra, 2006.

3. Fijada por el Ministerio de la Salud, que está dirigido por una mujer extraordinaria: Nilda Heredia.

4. Las Diabladas (las danzas de los diablos) es una fiesta popular que tiene su origen en la Cataluña del siglo XI. Se celebra durante doce días, cada año, en la época del carnaval de Oruro.

5. Grupo Emaús Oruro, Casilla postal 747, Oruro. Voix Libres, una ONG de Estrasburgo, hace el mismo trabajo para los niños de la calle de Potosí; Voix Libres, 15, quai Saint-Nicolas, 67000 Strasbourg. Dirección electrónica: strasbourg@voixlibres.org

6. FMI, *Public Information Notice n° 07/08*, 17 de julio de 2007; FMI, *Bolivia, Country Report n° 07/248*, 2007.

7. Banco Mundial, *Bolivia, Towards a New Social Contract, A Country Social Analysis*, vol. II, Washington, 2006.

8. Ibíd.

9. Los oficios más habituales del sector son los de limpiabotas, criadas, jornaleros en las haciendas, cortadores de caña estacionales, vendedores ambulantes, encargados de bares de calle, peones que se alquilan en las esquinas de las calles y a los que se les endosan cargas que uno no se atrevería a cargarle a una mula, carboneros en el bos-

que, ladrilleros en los traspatios, porteadores de agua, vigilantes de cantera, lavanderas, etc.

10. *Biscate* es la palabra brasileña para el trabajo ocasional. Se utiliza habitualmente en Santa Cruz, el Beni y Tarija, pero cada vez más también en las tierras altas y en las ciudades de los valles.

6

EL ESTADO NACIONAL

1. Jean-Jacques Rousseau, *Discours sur l'origine et les fondements de l'inégalité parmi les hommes*, 1755.

2. Monje florentino del siglo xv, que predicaba con vehemencia el regreso a los austeros modos de vida ancestrales.

3. Los Apus son espíritus que residen en las altas cumbres de 5.000 o 6.000 metros de altitud. Cada Apu posee su nevada, su cima, donde mora. Desde allá arriba, los Apus protegen el ciclo de las siembras y las cosechas, la reproducción de las llamas y la fertilidad de la tierra.

En cuanto a los Ayilus, viven bajo tierra, en subterráneos prohibidos al común de los seres vivos. Son los ancestros difuntos. Protegen a los clanes y las familias, y garantizan la permanencia de los hombres sobre la tierra.

4. «Pueblos originales» es el término oficial para designar a los diferentes pueblos indios.

5. Es el cereal local, muy nutritivo.

6. Las vacas dan cada una, como media, ocho litros de leche al día.

7. Visité la comunidad de Jintamarca, cerca de Guaqui, en la inmediata vecindad del lago Titicaca. Viven en ella ochenta y dos familias, la mayoría de origen aymara. Perdieron toda su cosecha de patatas y de quinoa en tres días de graves heladas, en julio de 2006.

8. Siete bolivianos equivalen a un dólar (según el tipo de cambio de mayo de 2008).

9. El escudo muestra un sol levante, el Illimani de nieves eternas, una pradera, un árbol y una llama.

10. La provincia de Oruro cuenta con treinta y cuatro municipios. Su presupuesto de funcionamiento se eleva a 250 millones de bolivianos.

11. La *Renta dignidad* (la renta de la dignidad) es la primera medida universal de seguridad social en la historia de Bolivia.

8

LOS USTACHIS ESTÁN DE VUELTA

1. En torno a la mesa, los directores generales de Krupp, Röchling, Volkswagen, Rheinmetall, Messerschmitt y de otras grandes sociedades industriales. Varios directores de IG Farben, que suministraban el gas Zyklon B a los campos de exterminio, también estaban allí. La mayoría de estos representantes de la industria estaban personalmente vinculados a los hombres de uniforme negro y calavera. Se conocían y trabajaban juntos desde hacía años.

2. Informe de la Office of Strategic Services (OSS) de Estados Unis, citada en Jean Ziegler, *La Suisse, l'or et les morts*, París, Seuil, 1997, col. «Points», 1998 y 2008.

3. Rat-Line: ruta de evasión de las ratas. Esta expresión es la que empleaba la propia organización Odessa.

4. Dos prelados croatas que ocupan puestos clave en el Vaticano, el cardenal Stepanovic y el padre Draganovic, libraban pasaportes del Vaticano a los ustachis.

5. Fabrizio Calvi, *France-États-Unis, cinquante ans de coups tordus*, París, Albin Michel, 2004. Calvi defiende la tesis de una protección de Barbie por parte de la CIA. Kevin McDonald, en su película *Mon meilleur ennemi*, 2007, no dice otra cosa.

6. Hasta 2007, la agricultura hortícola estuvo abandonada. El país importaba el 80 por 100 de su alimentación.

7. Desde antes de la guerra, Pavelic había fundado los ustachis, una sociedad secreta de extrema derecha, que luchaba por la independencia de Croacia. Pavelic había hecho asesinar el rey Alejandro de Yugoslavia.

8. Curzio Malaparte, *Kaputt*, Francfort, Fischer Verlag, reed. 2007, pág. 350. Cito la edición alemana porque es la más reciente e incluye un aparato científico importante. El título *Kaputt* procede de la palabra hebrea *Kapparoth*, que significa 'víctima'.

9. En tanto que administrador de la Unión Europea en Mostar, Hans Koschnik ejercía las funciones de alcalde y había sido

nombrado para este puesto en julio de 1994. Su misión: reconciliar las dos partes de la ciudad y organizar la reconstrucción.

10. Tras haber sobrevivido milagrosamente a un atentado de los ustachis, Koschnik dimitió en 1997.

11. Por consiguiente, los bajos porcentajes de voto de Evo Morales en estos departamentos no es motivo de extrañeza. Durante la Revolución francesa, se produjo un fenómeno análogo: bajo la influencia de los curas y los aristócratas, los campesinos pobres de Vendée se alzaron contra la República en 1793, una República que, sin embargo, había abolido cuatro años antes las servidumbres personales y los derechos feudales.

12. Bolivia detenta el dudoso honor de poseer el primer arzobispo abiertamente afiliado al Opus Dei del continente.

13. Declaración de David Ceja a Pablo Stefanoni, en *Un ano de Evo Morales*, *Carta major*, semanal que se publica en São Paulo, Brasil, 3 de enero de 2007.

14. En *Libération*, 9 de diciembre de 2007.

15. Ibíd.

16. Citado en *Le Monde*, 11 de diciembre de 2007.

17. Ibíd.

18. *El País*, 30 de noviembre de 2007.

19. *Le Courrier*, Ginebra, 27 de diciembre de 2007.

EPÍLOGO
«NUESTRA HORA HA LLEGADO»

1. Aimé Césaire, *Lettre à Maurice Thorez*, París, Éditions Présence africaine, 1956. [Hay trad. cast.: «Carta a Maurice Thorez», en *Discurso sobre el colonialismo*, *op. cit.*]

2. Canción cubana.

3. Banco Mundial, Informe anual de 2007, Oxford University Press, 2008.

4. Los precios de los alimentos se indican generalmente FOB (*Free on board*) por oposición a CIF (*Cost insurance freight*), o dicho de otro modo, a los precios del mercado aquí indicados, hay que añadir los costes del transporte.

5. Entre la multitud de investigaciones consagradas a la relación

de causa-efecto entre las estrategias del FMI y el incremento del número de víctimas de hambre, véase especialmente *Trade Policy and Hunger, the Impact of Trade Liberalisation on the Right to Food of Rice Farming Communities in Ghana, Honduras and Indonesia*, Ginebra, FIAN y Ecumenical Advocacy Alliance, Conseil Mondial des Églises, 2007.

6. Heiner Flassbeck, en *Tagesanzeiger*, Zúrich, 14 de mayo de 2008.

7. Comunicación de Robert Zoellick, Washington, 14 de abril de 2008.

8. Se encuentra en South Wacker Street, en Chicago.

9. Sólo durante el mes de enero de 2008, tres mil nuevos millones de dólares se invirtieron en la Bolsa de Chicago.

10. La Unión Europea se comprometió en un programa similar.

11. Véase Jacques Dupâquier, *La Population mondiale au XXe siècle*, París, PUF, 1999, pp. 44 y ss.

12. Discurso del 25 de noviembre de 2007.

13. J.-P. Eckermann, *Gespräche mit Goethe in den letzten Jahren seines Lebens*, Wiesbaden, Insel Verlag, 1955.

14. Citado por Jean-Philippe Domecq, *Robespierre, derniers temps*, París, Le Seuil, 1984.

15. Del encuentro entre André Breton, de camino hacia su exilio en Estados Unidos, y Aimé Césaire (y su mujer Suzanne) en 1941, nació la revista *Tropiques* en Fort-de-France, en la Martinica.

16. «Carta a Maurice Thorez», 24 de octubre de 1956, *op. cit.*

17. Blaise Pascal, *Pensées*, París, Gallimard, «Bibliothèque de la Pléiade», 1963.

18. Claude Lévi-Strauss, *La Pensée sauvage*, París, Plon, 1967.

19. «Os hablamos en tanto que seres humanos a otros seres humanos. ¡Acordaos de vuestra humanidad y olvidad el resto! Si fuerais capaces de actuar así, estaría abierta la vía para una nueva sociedad. Si no fuerais capaces, afrontaréis el riesgo de la muerte universal».